KAWADE
夢文庫

消えた地名から読む世界史

内藤博文

河出書房新社

消えた地名から歴史を紐解くと思いもよらない真実が見えてくる！——まえがき

2022年、ロシア軍がウクライナに侵攻して以来、一気にその呼び名が変わっていったのは、ウクライナの「キエフ」だ。西側諸国では、これまでの「キエフ」呼称が消え、「キーウ」と呼ばれるようになった。

それは、ウクライナをどういう国とみなすかの問題であった。ロシア語呼称である「キエフ」と呼びつづけるのは、ウクライナはロシアの従属国であるという見方につながる。ウクライナ語で「キーウ」と呼称するなら、ウクライナはロシアと対等な独立国であると認めることになるのだ。地名の呼称一つに、ウクライナ国家としての尊厳がかかっていたのだ。

こうした地名の改名騒動は、なにも「キーウ」問題からはじまったわけではない。世界史では、地名がつけられては、新たな名に変えられ、古い名は消え去り、忘れ去られていった。その繰り返しである。

日本だって、明治維新によって「江戸」が「東京」へと改められた歴史がある。

明治政府は、江戸幕府の時代を暗黒として定義したから、幕府を連想させる「江戸」の名を葬ってしまったのだ。江戸がおおいに栄えたという事実を無視しての話だ。

国名、都市名の改名が起きるのは、多くはその国の支配者が代わったときだ。新たな支配者は、自分の好みで新しい名をつけ、旧名を打ち棄てる。旧名を消すことで、その国、都市の住人の意識までを変えて、支配しようとする。

あるいは、その国に民族意識が高まっていくなら、アイデンティティが求められた。彼らは、民族の栄光を意識させてくれるような古い名を復活させもする。この

ときも、それまでの名は葬り去られる。

そんなわけだから、葬り去られた国名、都市名、地名は世界史の闇を背負っている。なぜ、消されてしまったのか、その歴史を追っていくと、その国、その街のもう一つの側面、栄光と苦難の歴史までも見えてしまうのだ。あるいは、なぜ、新しい名を求めたのかを少し突き詰めてみると、その国、都市が負った歴史の傷も見えてくる。

先の「キエフ」という呼称からなら、ロシアがいかにウクライナを侵食、吸収していったかがわかる。「キーウ」として見るなら、じつは、いまのロシアの淵源は、

モスクワではなく、ウクライナにかつてあった「キーウ公国」であることがわかってくる。

現代世界にあって、その国、都市をどの名で呼ぶかは、一つの「歴史戦争」となっている。歴史は、たしかに人文科学であるが、その一方、少なからぬ国は政治利用する。世界を相手に自分の国を立派に見せたいとき、過去の悪《あ》しき時代を隠蔽《いんぺい》し、その時代の地名を闇に葬ってしまうことだってある。あるいは、誇らしかった時代を世界に喧伝《けんでん》したいとき、その時代の地名を復活させたりもする。

そうした改名は、近隣国や関係の深かった国との摩擦を招き、対立を深める原因にもなる。地名の呼び方をどうするかで、国同士が争いもするのだから、地名には闇のパワーがあるということだろう。

この本では、世界各地の消された国名、地方名、都市名をコンパクトに紹介してみた。消された地名の中にある闇を知ることは、世界史の真実に触《ふ》れることにもつながる。また、現代世界の対立構造を解きあかす糸口にもなろう。地名には、希望と怨念《おんねん》が込められているのだ。

内藤　博文

消えた地名から読む世界史●もくじ

1章 消えた欧米の地名
覇権争いの末に

2章 権力者の凋落とともに 消えたロシア・ウクライナの地名

3章 消えた中央アジアの地名
異文化の交差点ゆえに

4章 王朝の栄枯盛衰に沿って 消えた中国の地名

5章 西欧文明と衝突して 消えた東アジア・東南アジアの地名

6章 複雑な宗教・民族の事情で消えた南アジアの地名

7章 植民地支配からの脱却で消えたアフリカの地名

カバーイラスト／タカヤマチグサ
地図版作成／原田弘和

1章

覇権争いの末に 消えた欧米の地名

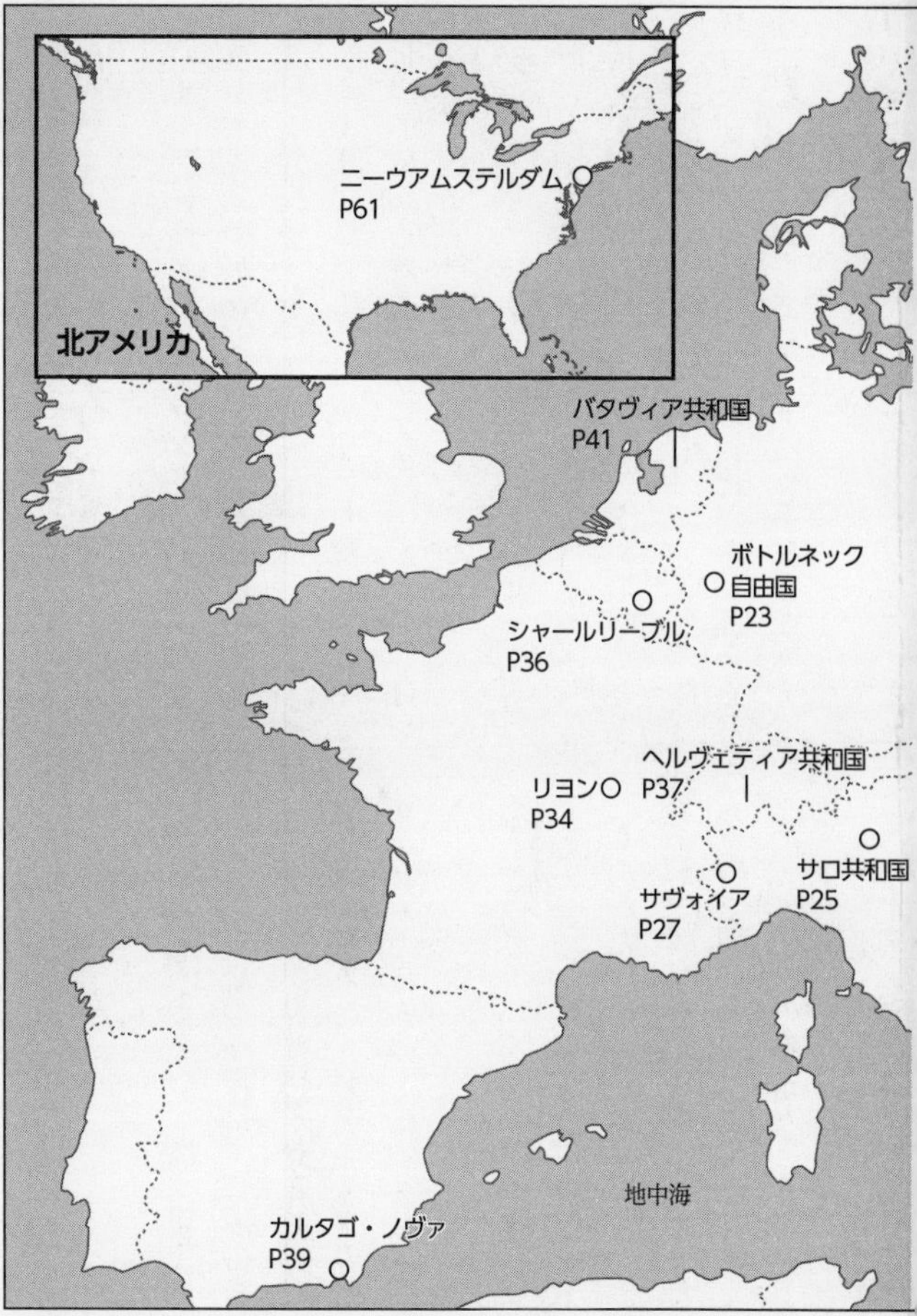
北アメリカ
ニーウアムステルダム
P61
バタヴィア共和国
P41
ボトルネック
自由国
P23
シャールリーブル
P36
ヘルヴェティア共和国
P37
リヨン
P34
サロ共和国
P25
サヴォイア
P27
地中海
カルタゴ・ノヴァ
P39

ダンツィヒ
ポーランドのグダニスクの中に埋もれている
ヒトラー時代の怨念と野心

バルト海に面したポーランドの港湾都市「グダニスク（グダンスク）」は、現代ポーランド成立のエンジンとなった都市である。１９８０年、この地で自主管理労組「連帯」が結成されたからだ。以後、ポーランドのみならず東欧諸国で民主化の動きが強まり、ついにはベルリンの壁崩壊となる。この事件により、グダニスクの名は世界的に知られるようになる。だがじつは、「グダニスク」はかつては別の名「ダンツィヒ」で世界的に知られていた。

「ダンツィヒ」はドイツ人による呼称であり、「グダニスク」はポーランド人による呼び名である。ドイツ人支配が強いときはえてして「ダンツィヒ」、ポーランド人に支配が代われば「グダニスク」の呼称となってきたのだ。

グダニスクは、10世紀の後半に、ポーランド系の者によって建設されたが、支配権はたびたび代わった。14世紀からしばらく、ドイツ騎士団によって管理されるようになった時代もあり、ドイツ系住人が増えていった。ドイツの都市とともにハンザ同盟の一員になったこともあれば、ポーランド王国の自治都市として認められた時代もある。

「グダニスク」の名がいったん消滅していったのは、18世紀のことだ。ポーランドは衰退していくばかりであり、1793年の第2次ポーランド分割によって、プロイセンはポーランドからグダニスクを奪ったのだ。これを契機に「グダニスク」は、ドイツ語の「ダンツィヒ」へと改められた。さらに1795年の第3次ポーランド分割によって、ポーランドの名はいったん世界から消滅してしまった。ダンツィヒは、プロイセン、つづいては統一ドイツ（第2帝国）が統治する街になった。

ダンツィヒの支配権が代わるのは、1919年のことだ。第1次世界大戦でドイツ（第2帝国）が敗北。パリ講和会議ではポーランドの独立が決まり、ダンツィヒの帰属が問題となった。ダンツィヒはドイツに残るべきか、あるいはポーランドへ戻るべきなのかは、イギリス、フランス、アメリカの外交問題にもなった。

ダンツィヒにはポーランド系も多かったが、ドイツ系も多かった。ポーランドはダンツィヒの復帰を主張したものの、結局、ダンツィヒは国際連盟の管理する都市となった。これが、「ダンツィヒ自由市」である。

「ダンツィヒ自由市」は、陸地の三方をポーランドに囲まれた地であり、ドイツとは切り離された。ドイツ国籍をもっていた市民は、「ダンツィヒ国籍」を与えられた。

ダンツィヒ自由市は一つの独立国家といえたのだが、これを容認できなかったのは、一部のドイツ人たちである。ドイツ人はダンツィヒの回収を望み、これに応えようとしたのが、ヒトラーである。

第2次世界大戦前夜、ヒトラーは、ダンツィヒの回収を決意していた。ダンツィヒを回収する代わりに、ともにソ連と戦うことで、ポーランドにウクライナを与えようとも計算していた。ポーランド側もダンツィヒのドイツ所属を考慮していたようだが、結局、折り合いがつかず、ヒトラーのナチス・ドイツはポーランドへと侵攻する。これが第2次世界大戦のはじまりである。ドイツ軍がまず砲撃を加えたのはダンツィヒだったから、ダンツィヒ回収はナチス・ドイツの悲願であり、ダンツィヒが大戦の導火線に火を点《つ》けたともいえる。

ただ、ヒトラーの野望はソ連軍によってすべて打ち砕かれる。独ソ戦に敗北したドイツはふたたびダンツィヒを失い、ダンツィヒはポーランドに戻る。ポーランドはグダニスクの旧名に戻して、再建している。

ダンツィヒの出身者には、哲学者のショーペンハウアー、作家のギュンター・グラスら、ドイツ人として活躍した者が少なくない。その名には、ドイツのかつての栄光があるのだ。

シュレジエン　いまのポーランドに位置した地域がドイツ史、オーストリア史を動かした謎

中欧に位置する「シュレジェン」地方といえば、世界史を学ぶとき、かならずといっていいほど出てくる地名である。オーデル川中・上流域にある「シュレジェン」は、18世紀、当時の大国ハプスブルク家のオーストリアと新興国プロイセンの係争の地となったからだ。

当時、シュレジェンを領有していたのは、ウィーンを本拠とするハプスブルク家のオーストリアであった。ハプスブルク家で女帝マリア＝テレジアが即位したとき、プロイセンのフリードリヒ2世はオーストリア継承戦争を勃発《ぼっぱつ》させ、オーストリアからシュレジェンを奪ってしまった。

こののち、女帝マリア＝テレジアは復讐戦争を仕掛ける。彼女はフランス、ロシ

アを味方に引き入れて、プロイセンを孤立化させ、追い詰めた。これが七年戦争となるが、シュレジェンの奪回はかなわなかった。こうしてシュレジェンは、新興国プロイセンが勃興した戦いの象徴として記憶されてきた。

ただ、現在、世界地図を見たとき、「シュレジェン」の名はどこにもない。シュレジェンを巡って戦ったはずのプロイセンの後身であるドイツにも、オーストリアにもその地名はない。

では、「シュレジェン」はどうなっているかといえば、ポーランドにその多くがある。ポーランドの中南部に位置し、ポーランドでは「シロンスク」と呼ばれている。チェコの一部もシュレジェンにかかっていて、ここは「スレスコ」と呼ばれている。ちなみに、英語では「シレジア」だ。

じつのところ、「シュレジェン」の帰属は時代とともに移り変わっている。シュレジェンを10世紀ごろから獲得したのが、ポーランド王国である。だがその後、ドイツから移民がシュレジェンに渡り、ドイツ化もはじめている。14世紀になると、ドイツの神聖ローマ帝国がシュレジェンを領有するようになる。そののち、神聖ローマ帝国の皇帝位を独占するようになったオーストリアのハプスブルク家の領有するところとなる。

その後、先のオーストリア継承戦争、七年戦争を経て、プロイセンがシュレジェンを獲得、その領有はドイツに継承されてきた。第1次世界大戦でドイツが敗れてもなお、シュレジェンの多くはドイツ領にとどまった。だが、第2次世界大戦にドイツが敗れると、シュレジェンはポーランドの手に渡ることになったのだ。

プロイセン 統一ドイツの成長エンジンは、じつは、ドイツではなかった?

19世紀、ヨーロッパの強国の一つに「プロイセン」があった。「プロイセン」は、オーストリア、フランスを破り、開国した日本とも条約を結んだ国なのだが、いま世界の地図には「プロイセン」の名はない。「プロイセン」は、消えた国家であり、いまや歴史に名をとどめているにすぎない。

プロイセンが消えてしまったのは、統一ドイツに吸収されてしまったからだ。19世紀半ばまでドイツは分裂した地域であり、統一ドイツは存在しなかった。そうしたなか、ドイツを統一する原動力となったのが「プロイセン王国」だ。

プロイセン王国は、18世紀にフリードリヒ2世がハプスブルク家のオーストリアを破って以来、台頭をつづけた。ナポレオン戦争にあっても、ナポレオンを敗退させる矛《ほこ》となり、大国として認められるようになった。19世紀後半には、宰相ビスマルク、モルトケ将軍が登場し、統一の障害となるオーストリア、フランスを連破する。これにより、統一「ドイツ帝国（第2帝国）」が成立し、プロイセン国王ヴィルヘルム1世はドイツ帝国皇帝となる。

つまりは、プロイセンを盟主《めいしゅ》とするドイツが成立したのだ。この絶頂の瞬間から、「プロイセン」の名は消える方向に向かっていく。

というのも、しだいにプロイセンがドイツに吸収されるかたちとなり、住人にドイツ意識が強まるほど、プロイセン意識が消えていったからだ。フランスやオーストリアを破ったことで、ドイツの栄光を誇らしく思うほど、その原動力となったプロイセンは風化していったのだ。

たしかに初代ドイツ皇帝ヴィルヘルム1世には、「プロイセン国王」意識が強くあり、ドイツ皇帝であるよりも、プロイセン国王でありたかった。けれども、第2代皇帝ヴィルヘルム2世になると、プロイセン意識は失《う》せ、ドイツ皇帝としてふる

現代ドイツとプロイセン公国

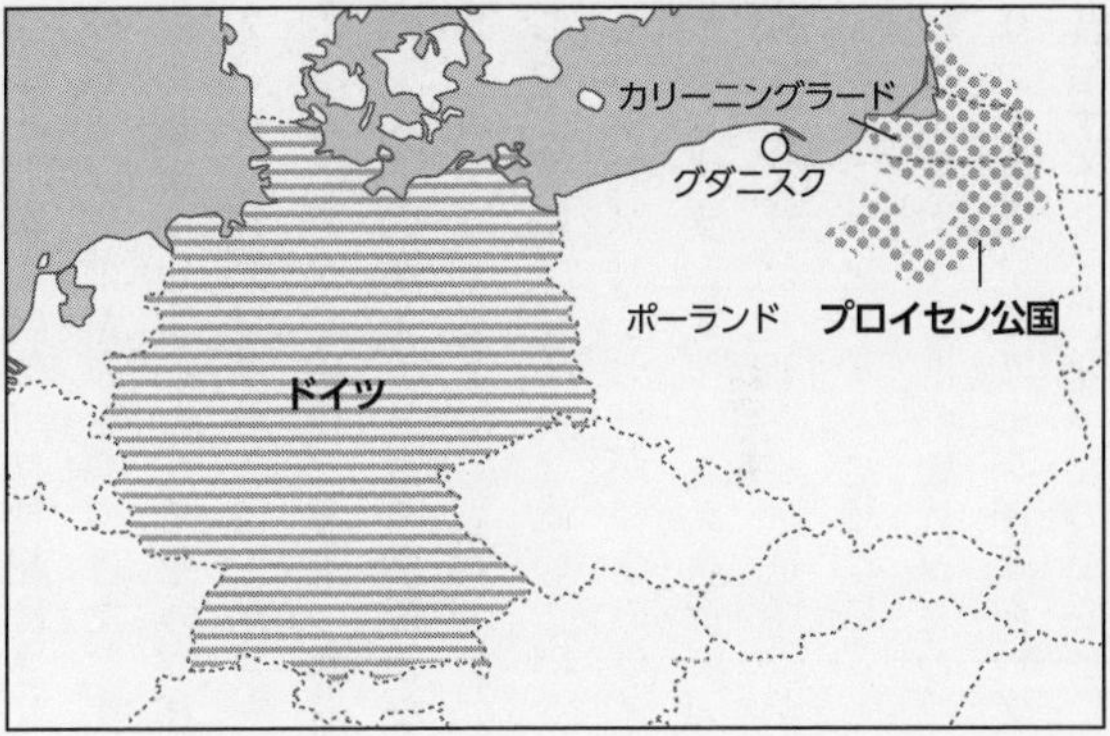

まったから、ドイツ帝国内でプロイセンは有名無実化していく。

有名無実化したプロイセン王国が決定的に消滅するのは、1918年のことだ。第1次世界大戦の末期、戦争の遂行《すいこう》がむずかしくなってきたドイツ帝国では、革命が発生する。皇帝ヴィルヘルム2世はオランダへと亡命、ここにドイツ帝国とともにプロイセン王国も消滅してしまった。

そして、二つの世界大戦を経《へ》て、プロイセンの地はドイツから離れていく。たしかにプロイセン王国は、ドイツ建国の中心になった存在である。だが、プロイセンの源流は、現在のドイツとは別の地域にあるのだ。

プロイセンの名は、中世のプルーセン族に

由来する。彼らはヴィスワ川とネマン川流域の間に居住していたというから、現在のポーランド北東部からリトアニア、ロシアの一部にあったことになる。その後、ドイツ騎士団を中心とするドイツ移民が東へとやってきて、プロイセン地方を形成していく。東プロイセンは、現在のポーランドのヴァルミア地方、マズーリィ地方、リトアニアのクライベダ地方、ロシアのカリーニングラード州となる。西プロイセンは、現在のポーランドのポモージュ地方やヴィスワ川流域などだ。先のグダニスクも、西プロイセンに属していた。

このようにプロイセンはいまのドイツとは別の領域で発展し、プロイセン公国となる。そのプロイセンがいまのドイツ領と結びつくのは、17世紀、ベルリンを首都とする「ブランデンブルク選帝侯国」と同君連合を形成してからだ。

以後、ブランデンブルク選帝侯がプロイセン公を兼ねるようになり、1701年にはブランデンブルク選帝侯にしてプロイセン公のフリードリヒ3世が王として戴《たい》冠《かん》、プロイセン王国の初代王となる。これがプロイセン王国のはじまりであり、ベルリンにあるプロイセン国王がいまのポーランドやリトアニア、ロシアの一部までを統治することになったのだ。

ドイツ帝国（第2帝国）の時代、ドイツはいまの領土よりもずっと東に版図《はんと》を広げていた。プロイセン王国が第2帝国の基盤にあったからだが、二つの大戦を経て、ドイツはプロイセンの地をほぼ失ってしまった。そのため、プロイセンはいまのドイツにはなく、おもにポーランドにあることとなり、ドイツはプロイセンと縁遠くなってしまっている。

「プロイセン」の名は、いまは歴史に登場する程度で世界からは消滅している。

ボトルネック自由国

20世紀のドイツに誕生した数奇な運命の国の驚くべき実態とは

20世紀のドイツにあって、わずかな期間ながら存在していた国に、「ボトルネック自由国」がある。ボトルネック自由国はライン川流域の一部にあり、独自の通貨まで発行している。国として認められていたわけではないが、「独立国」のように存在していたのだ。

ボトルネック自由国が誕生したのは、第1次世界大戦後の1919年だ。ドイツは戦争に敗れ、連合国はライン川左岸を占領下に置いた。このとき連合軍の統治の

ボトルネック自由国

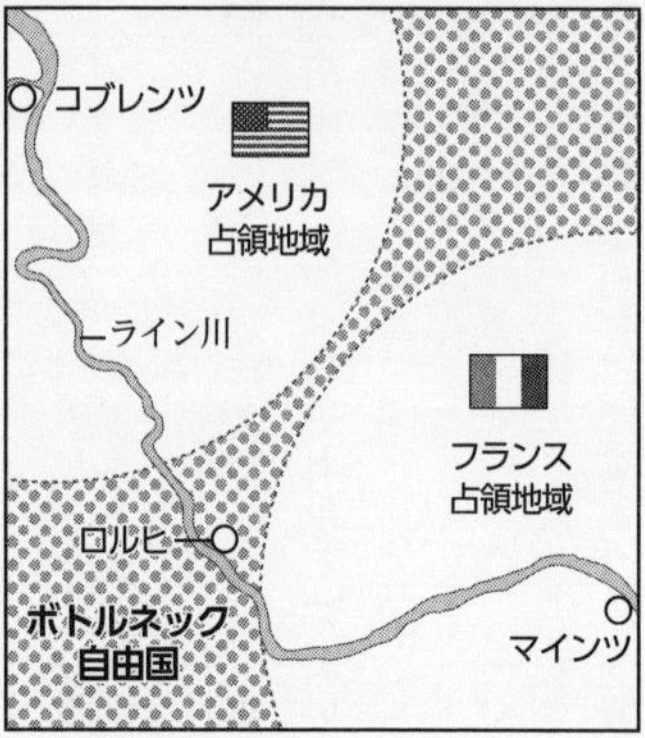

1919年のドイツ西部（ラインガウ地方）

あり方の杜撰《ずさん》さが、ボトルネック自由国を生み出した。

ライン左岸を占領したのは、イギリス、フランス、アメリカである。アメリカはコブレンツを中心に、フランスはマインツを中心とし、それぞれ半径30キロを占領地域とした。ところが、コブレンツとマインツ間の距離はおよそ64キロだから、アメリカ、フランスそれぞれの「占領円」にはいらない地域が生まれてしまった。このどこにも帰属しない細長い地域が、「ボトルネック自由国」となったのだ。

なぜ「ボトルネック」の名がついたかといえば、地図で見るなら、形状がボトルネック（瓶の首）に似ていたからだ。首都には、最大の都市ロルヒが定められた。

ボトルネック自由国は、「自由」でも何でもなく、不自由な国であった。道路を使って買い出しに行こうにも、アメリカ占領地域やフランス占領地域の境界で通行禁止となった。鉄道を使おうにも、ボトルネック自由国地域は通過となっていたから、食料や燃料に難渋《なんじゅう》し、ひどく不自由だったのだ。

困り果てたボトルネック自由国の住人がはじめたのは、密輸である。あるいは貨物列車を脱線させ、貨物をごっそりいただいたこともある。

ボトルネック自由国が消滅するのは、1923年のことだ。第1次世界大戦後のヴェルサイユ条約によって、ドイツはフランスに対して莫大な賠償を約束させられていた。その賠償金の支払いが滞《とどこお》ったため、フランスはルール地方を占領してしまった。ボトルネック自由国もフランスに占領され、はかなく消えてしまったのだ。

こうして「ボトルネック自由国」は忘れられていくと思われたが、1990年代以降、その名は復活しつつある。ボトルネック自由国があったラインガウ地方が、観光資源として活用されはじめているのだ。

サロ共和国 ナチス・ドイツによってイタリア・ガルダ湖畔に誕生した理由

第2次世界大戦下、1943年から1945年にかけて、イタリアには「イタリア社会共和国」、通称「サロ共和国」が存在した。「サロ共和国」と呼ばれるのは、ガルダ湖畔のサロに、当初、政府を置いていたからだ。

「サロ共和国」を誕生させたのは、イタリア人ではなく、ヒトラー率いるナチス・ドイツである。ナチス・ドイツは、イタリアのファシスト体制を立て直すために、「サロ共和国」を打ち立てたのだ。

１９４３年当時、ムッソリーニ率いるイタリアは連合軍の攻勢にさらされ、存亡の機に瀕《ひん》していた。ムッソリーニの威信は、がた落ちとなり、彼はクーデターによって首相の座を追われたすえに、幽閉の身となる。こののちイタリアの首相となったバドリオは連合軍と休戦し、イタリアは大戦から抜け出そうとした。

ナチス・ドイツにとって、ムッソリーニのイタリアは重要な同盟国であり、ドイツの南の楯《たて》である。ムッソリーニのいないイタリアの休戦は、裏切りであるうえ、連合軍の南方からの攻撃をゆるすことにつながりかねない。そこでナチス・ドイツは幽閉されていたムッソリーニを救出し、ムッソリーニを復活させた。そのムッソリーニを首班とする国が、「サロ共和国」であった。

ただ、サロ共和国はドイツの傀儡《かいらい》国家にすぎない。ムッソリーニのカリスマ性にもヒビがはいっているから、サロ共和国の士気は低かった。頼みはドイツ国防軍の強い支援であったが、その国防軍の将軍も連合軍に降伏、サロ共和国はついえてしまった。ムッソリーニは捕らえられ、射殺されている。

サヴォイア
イタリア統一の原動力となった地域なのに、なぜイタリアの地図から消えてしまったか

現在の統一イタリアを語るとき、外すことができないのが「サヴォイア」の名である。「サヴォイア」こそは19世紀のイタリア統一運動の主役であり、現在のイタリアの原型をつくった。その「サヴォイア」は北イタリアに存在していたのだが、現在、イタリアのどこを探しても見つからない。「サヴォイア」は、イタリアの地図から消えた地なのだ。

19世紀前半を振り返るなら、イタリア半島は分裂し、絶望的な状況にあった。イタリアの多くの都市、地域はオーストリアの従属下にあり、名のある独立国家がなかった。フィレンツェ、ミラノ、ナポリなどかつて栄えた都市にも、イタリアの独立を牽引《けんいん》し、引っ張っていく力はなかった。ローマは教皇領として独立していたが、

かつての求心力を失っていた。

従属・分裂状態のイタリア半島で、唯一、まともな独立国家として残っていたのが、「サヴォイア家」の「サルデーニャ王国」だったのだ。もともとサヴォイア家は北イタリアのサヴォイアを地盤として発展し、サヴォイア公となった。ひところは現フランスのシャンベリに宮廷を置いていたが、16世紀に北イタリアのトリノに移転している。

サヴォイア公がさらに発展するのは、1720年にサルデーニャ王国を手に入れてからだ。サヴォイア公であるサルデーニャ王は、北イタリアの一部までを支配する独立勢力になっていた。

19世紀、分裂していたイタリア半島では、リソルジメント（統一運動）の動きが高まる。このとき、主役に躍り出たのが、サルデーニャ王のカルロ・アルベルトだ。カルロ・アルベルトはイタリアにおけるイタリアの支配に立ち向かったが、オーストリアのラデツキー将軍の前に完敗している。

敗残《はいざん》のアルベルトは退位、代わってヴィトーリオ・エマヌエーレ2世がサヴォイア公、かつサルデーニャ王として即位する。ヴィトーリオ・エマヌエーレ2世はカブールを宰相に起用し、国内の近代化改革を進める。立憲君主国として近代化を進めたサルデーニャ王国は、イタリアの希望の星となる。

ただ、サルデーニャ王国独力では、イタリア支配に執拗《しつよう》なオーストリアに太刀打ちできないことは明らかだった。サルデーニャ王国は、対オーストリア戦のパートナーを求め、白羽の矢を立てたのが皇帝ナポレオン3世のフランスであった。

もちろん、ナポレオン3世とて、無償でイタリアの統一と独立に協力はしない。そこでヴィットーリオ・エマヌエーレ2世が計算高いナポレオン3世に差し出そうとしたのが、サヴォイアとニッツァ（ニース）の割譲であった。これが「ブロンピエールの密約」であり、皇帝ナポレオン3世はヴィットーリオ・エマヌエーレ2世への協力を約束する。

サヴォイア公であるヴィットーリオ・エマヌエーレ2世は、一族の故地《こち》までを差し出して、フランス皇帝の歓心を買わねばならなか

サヴォイア家が治めたサルデーニャ王国

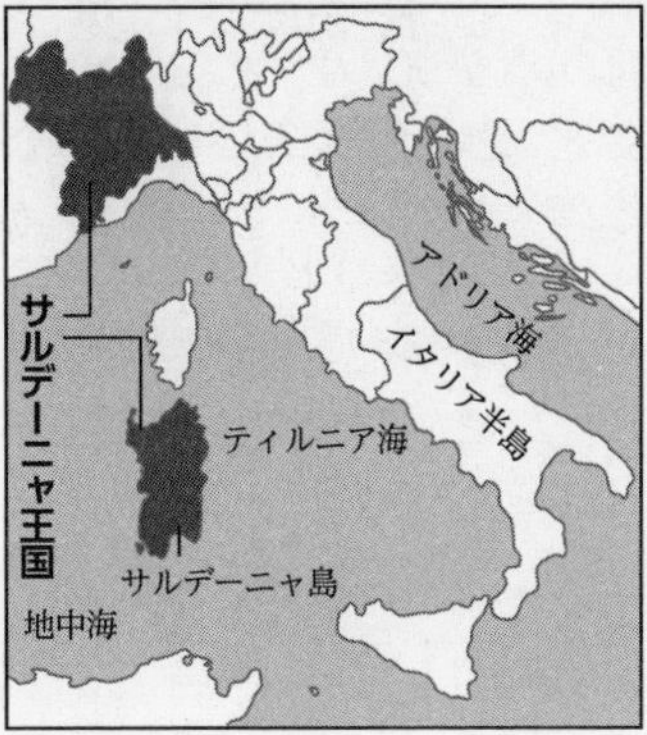

った。それが、当時のイタリアの現実でもあったのだ。

1859年、サルデーニャ王国軍はフランス軍と連合して、ソルフェリーノでオーストリア軍と戦う。凄惨《せいさん》な戦いのすえにサルデーニャ・フランス連合軍は勝利し、オーストリアはイタリアでの支配力を失っていく。オーストリアを駆逐《くちく》したサルデーニャ王国は求心力を高め、イタリアの多くがヴィットーリオ・エマヌエーレ2世のもとに集まった。

こうして1861年、イタリアの独立が達成される。名目上はサヴォイア公にしてサルデーニャ王であるヴィットーリオ・エマヌエーレ2世は、初代イタリア王として即位することとなったのだ。

このとき、すでに「サヴォイア」の地は、イタリアにはなく、フランス領になっている。サヴォイアは、フランスでは「サヴワ」と呼ばれている。

フィウメ
ファシズム時代のイタリアを沸騰させる都市は、現在はクロアチアに

クロアチアの「リエカ」といえば、アドリア海に面した港湾都市であり、対岸に

はイタリア半島がある。「リエカ」は、イタリアに属した時代もあり、これまでさまざまな名で呼ばれてきた。とくに20世紀には、「フィウメ」の名でよく呼ばれ、歴史的には「フィウメ」のほうが「リエカ」よりもよく知られる。

リエカを建設したのは、古代ローマである。紀元1世紀のことで、「タルサティクム(タルサティカ)」と呼ばれていた。タルサティクムは、古代ローマ帝国が崩壊してのち、さまざまな民族に支配されていく。とりわけイタリア半島側の支配者が領有する時代が多々あり、この地はイタリア半島側からは「フィウメ」と呼ばれるようになった。

近世、フィウメ=リエカを領有していたのは、オーストリアのハプスブルク家である。ハプスブルク家のもと、フィウメは自治都市となり住人の多くはイタリア人であった。

この民族問題が、ハプスブルク家の崩壊ののちに火を噴《ふ》く。第1次世界大戦でハプスブルク家のオーストリアが敗れたとき、イタリアは戦勝国側にあった。戦後のパリ講和会議では、フィウメをどの国が領有するかが論議され、戦勝国イタリアはフィウメを望んだ。住人の多くがイタリア人であることが、その根拠であった。一方、イタリアを除く戦勝国はといえば、フィウメを独立した「自由都市」とすることであった。

フィウメの帰属問題が紛糾する中、実力行使に出たのが、イタリアの愛国詩人ダンヌンツィオである。彼は「イタリアの三島由紀夫」といえるくらいの、政治的、武断的な文化人であった。三島由紀夫は自衛隊員に決起を求めた挙げ句の果てに自決したが、1919年9月、ダンヌンツィオはイタリアの民族主義に駆られた過激派勢力を率いて、進軍し、フィウメを占領してしまう。

占領後、ダンヌンツィオはフィウメに「カルナーロ＝イタリア執政府」を打ち立てた。「カルナーロ」とは、フィウメに面する湾のイタリア語呼称である。クロアチアでは、「クヴァルネル湾」と呼ばれている。ダンヌンツィオは、フィウメのイタリア併合をイタリア政府に要求した。

けれども、イタリア政府は国際社会の非難を恐れ、及《およ》び腰《ごし》であった。イタリア政府はダンヌンツィオの要求を拒否したから、ダンヌンツィオはフィウメを「カルナーロ共和国」として独立させようとした。彼自身が、「ドゥーチェ（統領）」とも名乗る。ダンヌンツィオは手勢を率いて、フィウメからローマへ進軍、イタリアの政権奪取までも構想していた。

ダンヌンツィオの過激化に焦ったイタリア政府は、フィウメの奇襲を選択する。イタリア海軍がフィウメに砲撃を加えると、ダンヌンツィオは逃走。ダンヌンツィオによるフィウメの占拠は15か月で終わり、「カルナーロ共和国」は挫折した。

これによりフィウメは「自由都市」として再出発することになるが、その時代は短かった。1922年、イタリアではファシスト党を率《ひき》いるムッソリーニが「ローマ進軍」によって、政権を掌握《しょうあく》する。イタリアは、「ドゥーチェ」を称号としたムッソリーニのファシスト国家になる。ムッソリーニは、ダンヌンツィオによる「フィウメ進軍」「カルナーロ共和国」「ドゥーチェ」をモデルとしていたのだ。

民族主義者であるムッソリーニのなすところは、ダンヌンツィオと変わらない。ムッソリーニのイタリアは、フィウメ自由都市に圧力をかける。1924年、自由都市フィウメは分解、瓦解し、イタリアはフィウメの多くを領有することとなった。

ムッソリーニのイタリアは、フィウメに執着した。イタリア海軍の「ザラ」級重巡洋艦《じゅんようかん》の一隻《せき》に「フィウメ」の名を与えているほどだ。

「フィウメ」はイタリアの戦艦らしく美しいシルエットを誇ったが、第2次世界大戦下、イギリス戦艦に撃沈されている。

イタリアがフィウメを手にしていた時代は、第2次世界大戦で終わる。ムッソリーニのイタリアは敗北者となり、フィウメはユーゴスラヴィア領となる。1947年には、フィウメは「リエカ」と改名されている。リエカでは社会主義化が進むと同時に、急速に民族浄化《じょうか》がはじまっていた。フィウメにいた多くのイタリアの住人は、民族浄化を恐れて、リエカから去っている。

こののち、ユーゴスラヴィアが崩壊すると、リエカはクロアチアの都市となっている。

今後、リエカがクロアチアの都市として栄えていくなら、「フィウメ」の名は完全に風化するかもしれない。

リヨン――フランス革命の暴虐によって一時、地名を消されたフランス第2の都市

リヨンといえば、フランスの南東部に位置し、フランス第2の都市として知られ

る。リヨンの歴史はパリよりも古く、ローマ帝国の時代から栄えていた。

ただ、リヨンは2000年以上にわたるその歴史の中で、その名を失ったことがある。フランス革命が過激化した時代、リヨンは革命政府によって、その名を奪われている。

当時、リヨンはかならずしも革命に同調的でなかった。リヨンの住人の一部は革命に懐疑的《かいぎてき》であり、これがリヨンでの反乱になる。それは、過激化したフランスの革命政府にとって、ゆるせない行為であった。かりにもフランス第2の都市が、革命政府に反逆したのも同然だからだ。

当時の革命政府は、血を求めて疼《うず》き、暴虐《ぼうぎゃく》のかぎりを尽くしていた。リヨンにもその暴虐の手が及び、リヨンの街を徹底的に破壊し、住人を処刑していった。そして「リヨンはもはやあらず」として、「リヨン」の名を地図から抹殺、「ヴィル・アフランシン（解放都市）」とした。これでは、名なしの地同然である。革命政府は、1700年以上もつづいた街の名になんら敬意を払っていなかったのだ。

「ヴィル・アフランシン」の名が消えるのは、早かった。ロヴェスピエールをはじめとする過激派の一派が逮捕され、失脚すると、「ヴィル・アフランシン」の名はすぐに忘れ去られた。リヨンは、元の名を取り戻し、いまに至っている。

革命劇は人を過激にし、都市の名にも容喙《ようかい》したがるところがある。リヨンは、その犠牲者だったともいえる。

シャールリーブル——フランス革命によって改名させられたベルギー第4の都市「シャルルロア」

フランス革命によって名を奪われ、新たな名を押しつけられたのは、フランスのリヨンのみではない。ベルギーの「シャルルロワ」もまた、その犠牲となっていた。

シャルルロワは、ベルギーのワロン地方の中心都市であり、現在はベルギーにあって第4の都市になっている。1890年代、シャルルロワはフランス革命軍に占領され、改名させられる。

フランスの革命政府にとって、「シャルルロワ」は唾棄《だき》すべき地名だったからだ。「シャルルロワ」は、スペイン王カルロス2世にちなむ。17世紀当時、スペインは南ネーデルラントを領有し、1666年、カルロス2世はここに要塞《ようさい》を築いた。それを記念したのが、「シャルルロワ」の地名だ。

「シャルル」は「カルロス」のフランス語の呼称であり、「ロワ」はフランス語で「王」である。フランスの革命政府は王制を否定し、国王ルイ16世の首まではねてしまっている。革命フランスにとって、スペイン王の名のつく街が残るなどもってのほかである。

というわけで、フランスの革命政府は「シャルルロワ」の名を抹殺し、「シャールリーブル（自由の戦車）」と都市名を改めている。音は似ているが、意味するところはまったく違う名にさせられたのだ。

ただ、フランスの革命政府の過激派が失脚したのち、「シャールリーブル」の名はすぐに風化し、「シャルルロワ」に復帰している。

ヘルヴェティア共和国 スイスが一時期、その名を棄てさせられた意外な理由とは

フランス革命の改名の暴風は、スイスにまで及んでいる。1798年、フランス軍はスイスにも侵攻し、スイスを統治していた盟約者集団を崩壊させる。新たな政体を模索《もさく》しなければならなくなったスイスは、国名まで変え、「ヘルヴェティア共

和国」としている。

「ヘルヴェティア」は、スイスの古い名である。この地にいたヘルウェティイ族に由来し、スイスは古代には「ヘルヴェティア」を名乗っていた。

その後、ヘルヴェティアはフランク王国やオーストリアなどに侵食《しんしょく》され、独立を失った時代がある。そこに現れたのが盟約者集団である。ウーリ、シュヴィーツ、ウンターヴァルデンの三州からなる盟約者集団によって13世紀に独立を回復、「スイス連邦」となっていた。革命フランスの前に劣勢のスイスは、いったん「スイス」の名を棄《す》て、古い国名「ヘルヴェティア」に回帰したのである。

ただ、「ヘルヴェティア共和国」の時代は長続きしなかった。ヘルヴェティア共和国が目指したのは、フランス革命の理念に基づく中央集権的な政府である。それは、長くつづいたスイスの地方分権的なありようを完全に否定するものであった。

スイスは、盟約者集団による建国以来、地方分権的に機能してきた。長く機能してきた地方分権を否定するのは、あまりに粗暴であり、ヘルヴェティア共和国は混乱する。

19世紀になって、フランスでナポレオンが全権を掌握すると、スイスを巡る状況は変わる。ナポレオンの仲介によって、スイスの盟約者集団が盛り返し、「ヘルヴェティア共和国」は消え去り、スイス連邦が復活している。

ただ、「ヘルヴェティア」の名は完全に消え去ったわけではない。いまなおスイスの別称として知られ、スイスは「ヘルヴェティア」の名でも呼ばれているのだ。

カルタゴ・ノヴァ ローマ人による「新しいカルタゴ」は、いまのカルタヘナに

スペインのカルタヘナは、地中海に面した港湾都市である。カルタヘナの歴史は古く、紀元前3世紀に建設されている。その当時は、「カルタヘナ」という名ではなく、「カルト・ハダシュト（新しい都市）」という名であった。カルト・ハダシュトを建設したのは、カルタゴ人である。彼らは、フェニキュア系の者だ。

もともとフェニキュア人は地中海東部を拠点としていたが、やがて西地中海方面に進出、紀元前9世紀には北アフリカにカルタゴを建設した。フェニキュア人の建国したカルタゴは、イベリア半島にも進出、「新しい都市」としてカルト・ハダシュトを営んだのだ。

カルタゴは「地中海の女王」となるが、そのカルタゴに挑んだのが、新興のローマである。紀元前3世紀からカルタゴとローマは3次にわたるポエニ戦争を経験する。第2次ポエニ戦争にあっては、カルタゴの武将ハンニバルは、ゾウ部隊を率いてカルト・ハダシュトからローマへ向けて進軍をはじめている。

だが、ローマはイタリアでのハンニバルの攻勢に耐えつづけたのち、ハンニバルのいないイベリア半島で逆襲に転じる。大スキピオ率いるローマ軍はカルト・ハダシュトを攻略する。以後、カルト・ハダシュトはローマの支配下に置かれ、名を「カルタゴ・ノヴァ（新しいカルタゴ）」と改めている。

ローマ帝国崩壊ののち、カルタゴ・ノヴァのあるイベリア半島にはさまざまな勢力が襲来する。7世紀、カルタゴ・ノヴァはいったん西ゴート王国によって壊滅させられるが、やがてスペイン半島にはイスラム勢力が登場する。このイスラム勢力の時代にカルタゴ・ノヴァは復活したものの、イスラム勢力はやがてキリスト勢力によって、イベリア半島を追い出される。そうした時代を経て、「カルタゴ・ノヴァ」は、スペイン化した名「カルタヘナ」の名で呼ばれるようになったのだ。

カルタヘナのように、カルタゴによって建設されたスペインの街はほかにもある。スペイン第二の都市であるバルセロナもそうだ。

バルセロナは地中海に面した都市であり、首都マドリッドに先んじてオリンピックを開催した大都市である。そのバルセロナを建設したのは、第2次ポエニ戦争を戦ったカルタゴのハンニバルの父ハミルカル・バルカであるとされる。バルセロナはバルカ家の都市として拠点として建設されたわけで、そこから「バルチーノ（バルカ家の街）」と呼ばれるようになった。その「バルチーノ」の名が長い時間をかけてスペイン化し、「バルチーノ」は消え、「バルセロナ」となったのだ。

バタヴィア共和国　今日のオランダが、フランス革命を機に改名したウラ事情

オランダといえば、その建国期から「オランダ」を名乗っていたわけではない。オランダの国名は、いくたびか変わっている。

国家としてのオランダは、16世紀後半にはじまる。それまでオランダは、カトリック大国のスペインに支配されていた。スペインの国王フェリペ2世は、ガチガチのカトリックであり、プロテスタントの多いオランダの住人にカトリックを強制し

てきた。これに反発し、オランダでは独立運動がはじまり、スペイン相手の独立戦争となる。

オランダとスペインとの戦いは長くつづくが、このときオランダは、「ネーデルラント連邦共和国」として独立する。「ネーデルラント」とは、低い土地という意味であり、これ以前から呼ばれてきた名でもある。

ネーデルラントの国名が変わるのは、フランス革命によってである。フランスの革命政府は自らの威信を確立すべく、外征に乗り出す。１７９３年、フランス革命軍はネーデルラントに侵攻、制圧してしまった。

このとき、ネーデルラントではフランス革命に賛同する者らが新たに政府を樹立《じゅりつ》し、国名を「バタヴィア共和国」と改めたのだ。「バタヴィア」とは、かつてオランダ一帯にいたゲルマン系のバターウィー族に由来する。

後述するように、オランダはジャワ島のジャカルタを植民地化したとき、その名を「バタヴィア」と改めている。

オランダの住人には、「バタヴィア」は、親しみのある名であった。しかも、フランス革命に賛同し、フランスに亡命していた一派は自らを「バターフェン（バタヴィア人)」と名乗っていたから、新政府にとって「バタヴィア」は革命を象徴していたのだ。

ただ、バタヴィア共和国の時代は短い。フランスで皇帝ナポレオンが全権を掌握してのち、彼は一族の者をヨーロッパ各地の王に即位させた。その一環で、ナポレオンの弟ルイ・ポナパルトはオランダ王に任じられる。1806年、ここに「バタヴィア共和国」は消滅、ネーデルラントは王制の国家となり、「ホラント王国」と呼ばれるようになった。こののち、ナポレオンはホラント王国をも消滅させ、ネーデルラントをフランス領の一部にしてしまっている。

1813年、無敵のナポレオンが敗北し、凋落《ちょうらく》していくと、ネーデルラントは独立を取り戻す。だが、かつての「共和国」に戻ることはなかった。この時代、フランス革命は否定され、ヨーロッパの国家は王制であることが求められていた。ネーデルラントは「ネーデルラント王国(オランダ王国)」として再出発し、いまに至っている。

日本では「オランダ」と呼ぶのは、ネーデルラントの主要州「ホラント州」の名が、ポルトガルを通じて伝えられたためだ。「ホラント」のポルトガル読みから、ネーデルラントそのものを「オランダ」と呼ぶようになったのだ。

ヘルシングフォーシュ――スウェーデン従属時代と決別したヘルシンキ

フィンランドの首都ヘルシンキは、さほど大きな都市ではないものの、第15回の夏期オリンピックを開催した世界都市でもある。ヘルシンキの名はこの地にあったヘルシング（海峡の民）族の滝に由来するとされるが、もともとヘルシンキの名からはじまったのではない。

ヘルシンキは、16世紀の建設以来しばらく、「ヘルシングフォーシュ」と呼ばれていた。この名はスウェーデン語である。

じつのところ、フィンランドは長くスウェーデンに属していた。フィンランドはスウェーデンとはやや異なった言語を有しているものの、国が成立する以前に、スウェーデンの支配がはじまっていたのだ。

中世、スウェーデンは北欧はもちろんヨーロッパの大国である。ヘルシンキは、スウェーデン王グスタフ1世によって築かれたから、スウェーデン語呼称の「ヘルシングフォーシュ」という呼称になったのだ。

ただ、スウェーデン領であったにせよ、フィンランドの住人に次第に自らがフィンランド人であるという意識が芽生《めば》えてくる。

スウェーデン従属時代から、「フィンランド大公国」という名がはじまる。「ヘルシングフォーシュ」も、次第にフィンランド語で「ヘルシンキ」と呼ばれるようになる。

フィンランド人の自国意識がさらに強まるのは、19世紀初頭、ロシア領にされてからだ。ナポレオン戦争下、スウェーデンはロシアに屈することになり、フィンランドをロシアに割譲《かつじょう》した。フィンランドはスウェーデンと切り離されたから、よりフィンランド色が強まり、「ヘルシングフォーシュ」が消え去り、「ヘルシンキ」の名が確立したのだ。ただ、スウェーデンではいまもヘルシンキを「ヘルシングフォーシュ」と呼んでいる。

フィンランドで、過去にスウェーデン語の名をもつ都市はヘルシンキ以外にもある。フィンランドの古都として知られるトゥルクもそうだ。

トゥルクはボスニア湾を挟《はさ》んで、スウェーデンの対岸にある。そのため、早い時期にスウェーデンによって建設されている。14世紀のことで、最初の名は「オーボ」といった。「オーボ」は、スウェーデン語で「市場」という意味だ。

「オーボ」は、19世紀初頭まで、フィンランドの都であった。17世紀には国内最古の大学である「オーボ・アカデミー」が開校している。オーボ・アカデミーは、ヘルシンキ大学の前身である。

オーボはやがてフィンランド語で「トゥルク」と呼ばれるようになるが、スウェーデン式の呼称が残りつづけているのが「ヴァーサ」だ。ヴァーサはトゥルクと同じくボスニア湾に面した街である。その名「ヴァーサ」は、スウェーデンの王家「ヴァーサ家」による。

ただ、ヴァーサは19世紀後半、「ニコライカウプンキ」「ニコライスタッド」と改めている。いずれも「ニコライの街」という意味だ。当時、フィンランドはロシアの支配下にあり、ロシア皇帝ニコライ1世が没したとき、ニコライ1世を悼《いた》み、讃《たた》える意味で改称された。

この名はロシアの属領時代にずっとつづき、20世紀になってフィンランドが独立してのち、「ヴァーサ」に復帰している。

タンネンベルク

ロシア軍撃破の地として有名な地名はなぜドイツの地図から消えたのか

「タンネンベルクの戦い」といえば、第1次世界大戦下の1914年に発生したドイツ軍とロシア軍の会戦として世界的に知られる。

ヒンデンブルク、ルーデンドルフ率いるドイツ軍は、当時のドイツ国境線に近いタンネンベルクでロシア軍を迎え撃ち、圧倒的な勝利を収める。タンネンベルクの戦いはドイツ軍の強さの象徴として喧伝《けんでん》され、この戦勝もあってヒンデンブルクはドイツの大統領にもなっている。

ただ、そのタンネンベルクの地名は現在、世界地図を探してもどこにもない。とくにドイツの地図には、タンネンベルクはない。

というのも、タンネンベルクの地は現在はポーランドにあり、ポーランドでは「ステンバルク」という村名になっているからだ。

タンネンベルクがドイツ領からポーランド領になったのは、すでに述べたように、第1次世界大戦におけるドイツの敗北によってである。ドイツの一部を形成したプロイセンの地はポーランド領となり、タンネンベルクの名はドイツから消えてしまったのだ。

タンネンベルクの戦いに関しては、中世の1410年にも発生している。ポーランドでは「グリュンヴァルトの戦い」と呼ばれる。

現在のステンバルク（タンネンベルク）とグリュンヴァルトの間で起こった戦いであり、ドイツ側は「タンネンベルク」の名で、ポーランド側は「グリュンヴァルト」の名で呼んでいる。

1410年のタンネンベルクの戦いは、ドイツ騎士団とポーランド＝リトアニア連合軍の戦いで、中世ヨーロッパで最大の会戦と呼ばれる。勝利したのはポーランド＝リトアニア連合軍であり、ポーランドにとって歴史的な勝利として記憶されつづけている。

一方、ドイツでは1410年の敗戦は屈辱であった。1914年のタンネンベルクの戦いは、ドイツの住人にすれば過去を上書きするものであった。なのに現在、タンネンベルクの名がドイツから消えてしまっているところが、ドイツの住人にすればもどかしいかもしれない。

ボヘミア王国

オーストリアから独立を果たすも、旧国名は跡形もなくなった…

「ボヘミア」といえば、チェコの旧名である。「ボヘミアン（気ままに生活する人）」の言葉で残ってもいれば、コナン・ドイルのシャーロック・ホームズ・シリーズの中にある『ボヘミアの醜聞《しゅうぶん》』でその名を知っている人もいよう。

ただ、「ボヘミア」は正式な地名としては、いまはない。かつて「ボヘミア王国」という栄えた王国が存在しながらも、「ボヘミア」は世界地図から消えてしまっている。

「ボヘミア」の名は、かつてこの地にあったケルト系のボイイ人に由来するといわれる。ボヘミアは10世紀ごろからドイツの神聖ローマ帝国に属し、14世紀にはボヘミア王国として最盛期を迎える。ボヘミア国王カレル1世は首都のプラハの文化を高め、神聖ローマ帝国皇帝カール4世としても即位する。カール4世の時代、プラハは神聖ローマ帝国の都として栄えた。

カール4世によってボヘミアが先進文化地帯になっていたからこそ、15世紀にはヤン・フスも現れる。彼は、ルターの宗教改革の先駆者《せんくしゃ》となっていた。

ボヘミアはその後、苦難の道を歩む。フスが異端者《いたんしゃ》として処刑されると、神聖ローマ皇帝ジギスムントを相手としたフス戦争を戦うことになる。

16世紀、ルターの宗教改革が始動してのちは、ボヘミアはプロテスタント化していく。ハプスブルク家の神聖ローマ皇帝はこれを弾圧したから、ボヘミアのプロテスタントは蜂起《ほうき》、三十年戦争のはじまりとなる。

三十年戦争ののちも、ボヘミア王国は神聖ローマ帝国の一員であったが、1806年、ナポレオンによって神聖ローマ帝国は最終処分される。と同時に、ボヘミア王国は、ハプスブルク家のオーストリアに吸収されてしまった。

以後、ハプスブルク家の皇帝が形の上では「ボヘミア王」を名乗っていたが、「ボヘミア王国」の体裁はなかった。ボヘミアはオーストリアの一部となり、独立色を完全に失った。

1918年、オーストリアが第1次世界大戦で崩壊すると、ボヘミア王国も完全に消滅する。ボヘミア地方は独立を果たしたが、このときの国名は「チェコスロヴァキア」となった。栄光と苦難の「ボヘミア」の名は、用いられなかったのだ。

チェコスロヴァキア
なぜ「チェコ」と「スロヴァキア」に分かれてしまったのか

「チェコスロヴァキア」は、1918年から1992年にかけて存在した連邦国家だ。現在は分裂して、「チェコ」と「スロヴァキア」になっている。地図の上に「チェコ」と「スロヴァキア」はあっても、「チェコスロヴァキア」はもはや存在しないのだ。

「チェコスロヴァキア」は、オーストリア帝国から独立して生まれた国である。いったんナチス・ドイツに占領された時代を経て、1945年から社会主義国となっていた。

チェコスロヴァキアが消滅し、二つの国になったのは、一つには両国に経済格差があったからだ。もともとチェコのほうが科学や文化が発達し、経済力をもっていた。スロヴァキアは、遅れた農業地帯というイメージもあった。両者の格差は社会主義時代は「平等」の名のもと強引に押さえ込まれていたが、1989年、「ビロード革命」が起きる。革命によって社会主義体制が崩壊し、民主化がはじまるや、経済格差はあらわなものになった。

経済格差があるがゆえに、チェコスロヴァキアでは、なにかとチェコの住人が政治経済の主導《しゅどう》をとった。これがスロヴァキアの住人にはおもしろくなく、結局、両者は分裂してしまったのだ。

ただ、分裂したとはいえ、チェコとスロヴァキアの仲は悪くない。分裂国家はえてして険悪な関係となり、紛争にも陥りやすいが、チェコとスロヴァキアは紛争を回避さえもした。そこから、両者の分裂は「滑《なめ》らかな布」にかけて「ビロード革命」と呼んだことにちなんで「ビロード離婚」ともいわれている。

ユーゴスラヴィア

内戦の末、7か国に分裂して失われた東欧の国名

20世紀末から21世紀初頭にかけて、雲散霧消《うさんむしょう》していったのは、「ユーゴスラヴィア」だ。ユーゴスラヴィアはバルカン半島の中南部に位置し、東ヨーロッパの大国として知られていた。

ただ、1980年代から地域内の対立が激化、度重《たびかさ》なる内戦のすえに2000年

代には解体してしまったのだ。

「ユーゴスラヴィア」の前身は、1918年に誕生した「セルブ・クロアート・スロヴェーヌ連合王国（セルビア人・クロアチア人・スロヴェニア人王国）」である。これが1929年には、「ユーゴスラヴィア王国」と改称された。「ユーゴスラヴィア」とは、「南スラヴ人の国」という意味である。

ユーゴスラヴィアは建国からして、無理筋な国であった。というのも、対立に向かう民族が同居していたからだ。ユーゴスラヴィアを構成する二つのおもな民族であるセルビア人は正教徒であるのに対して、クロアチア人はカトリックであった。彼らが同じ国にあること自体が、かなり無理であり、対立、内紛は時間の問題であった。

加えて、ユーゴスラヴィアは6つの国、5つの民族、4つの言語、3つの宗教の混在する国である。かつてはイスラム教を掲げるオスマン帝国の強固にして巧妙な統治があったから、問題を封じ込めていたが、ふつうなら分裂してもおかしくない。

それでもユーゴスラヴィアが50年以上ももちこたえたのは、ナチス・ドイツの侵攻を受けたからだ。さらにティトーという強権的なカリスマが登場したからだ。

1941年、ナチス・ドイツ、さらにはイタリアはユーゴスラヴィアに侵攻する。このとき、ナチス・ドイツに積極的に与《くみ》したのが、クロアチア人のファシスト集団ウスタシャである。ウスタシャは、セルビア人やムスリムを殺害していったから、ここに民族対立と憎悪が拡大しはじめていた。

このとき、ユーゴスラヴィアが空中分解しなかったのは、ナチス・ドイツに抵抗する者たちがパルチザンとなって連帯もしたからだ。内に向けられるはずの憎しみが、外に向けられたから、ドイツとの戦いは凄惨《せいさん》なものになった。

こうした抵抗戦線をまとめあげたのが、共産主義者であるティトーである。ナチス・ドイツ敗北ののち、ユーゴスラヴィアは社会主義を掲げる「民主連邦」として再出発する。その後、「連邦人民共和国」時代を経て、「ユーゴスラヴィア社会主義連邦共和国」となる。

ティトーは強烈な支配者であり、カリスマ性があった。ティトーがいかに特別で無比な存在であったかといえば、ソ連との関係が物語っている。ティトーはスターリン率いるソ連とも喧嘩《けんか》別れし、独自の路線を突き進もうとした。

スターリンといえば、ナチス・ドイツを下し、東欧諸国を衛星国《えいせいこく》に変えてしまったウルトラ独裁者である。そのスターリンとソ連の武力を、ティトーは、恐れはしなかった。スターリンも、忌《い》ま忌《い》ましいティトーのユーゴスラヴィアには手を出せないままだった。

けれども、そのティトーも1980年には没する。ユーゴには、統一を維持する軛《くびき》もなくなった。ティトー統治の時代、すでにユーゴスラヴィアは経済的に立ち行かなくなっていたから、内紛は時間の問題であった。

1989年、東欧各国で民主化の革命が勃発、社会主義が放棄《ほうき》されると、このちユーゴスラヴィアに動乱が波及し、分裂がはじまる。1991年、スロヴェニアとクロアチアが独立を宣言、1992年にはボスニア・ヘルツェゴヴィナも独立を宣言する。こうしてユーゴスラヴィアでは紛争がはじまり、紛争は長期化した。

ユーゴの紛争は、地域をバラバラにし、2002年には「ユーゴスラヴィア」の国名は消え去っていく。最後まで「ユーゴスラヴィア」的な国を維持しようとしてきたのが、セルビアとモンテネグロである。

両国は「セルビア・モンテネグロ」を誕生させたが、わずか3年で瓦解《がかい》、2006年にモンテネグロは独立を宣言する。ここに「ユーゴスラヴィア」の残骸《ざんがい》までが消え去った。

結局、ユーゴスラヴィアは、セルビア、クロアチア、スロヴェニア、モンテネグロ、ボスニア・ヘルツェゴヴィナ、北マケドニアの6つの国に分かれた。さらには、セルビアの自治州であったコソボまでが独立、コソボを含めれば7つの国に分かれてしまった。

ただ、コソボに関しては、セルビアはもちろん、中国、ロシア、インドといった大国が承認していない。コソボは、なりゆきによっては、未来に「消えた国家」になりかねない。

ステレツ　ブルガリアの首都ソフィアが棄て去った栄光時代の名

ブルガリアの首都ソフィアは、古い都市である。ヨーロッパ屈指の歴史をもち、支配者も代わってきた。ゆえに、これまで数々の名がつけられ、忘れ去られていった。

ソフィアは、紀元前8世紀にトラキア系のセルディィ族の集落として建設されている。そこから、「セルディカ（サルディカ）」の名で呼ばれるようになった。

紀元前1世紀、セルディカに侵攻、支配をはじめたのは古代ローマである。セルディカは一時的だが、「ウルピア・セルディカ」に改称させられている。

9世紀、セルディカの新たな支配者となったのは、ブルガリア帝国だ。ブルガリア帝国は、7世紀後半、チュルク系遊牧民族のブルガール人によって建国されたのち、ブルガール人たちはしだいにスラヴ人たちと同化していく。セルディカはブルガリア帝国に攻略されると、スラヴ語で「スデレツ」と呼ばれるようになった。

スデレツが「ソフィア」の名でも呼ばれるようになったのは、14世紀半ばとされる。スデレツに「聖ソフィア聖堂」が建てられたからで、ソフィアはスデレツの愛称のような形で定着していったと思われる。

ソフィアが正式な地名になるのは、1878年のことだ。それまでスデレツをはじめブルガリアはオスマン帝国の支配下にあ

ソフィア聖堂

ったが、露土《ろと》戦争でオスマン帝国が敗北すると、ブルガリアはロシア帝国の一員となる。

ブルガリアは「ブルガリア公国」となり、このとき、「スデレッ」の名が棄てられ、ソフィアが正式な名になっている。改名にあたって、ブルガリアの住人は、スデレツのほうを希望したという。だが、新たな支配者ロシアは正教色の強いソフィアを選んだのだ。

ちなみに、ブルガリアにはソフィア以外にも、プレスカ、ヴァルナといった古都がある。プレスカはブルガリア帝国の都であったが、いまはほとんど廃墟《はいきょ》になっている。ヴァルナはブルガリアの「海の首都」ともいわれ、ブルガリア第3の都市になっている。

そのヴァルナは、1949年から一時的に名を「スターリン」としていた。ソ連の最高指導者スターリンを記念しての改名だ。後述するように、20世紀後半にはソ連のみならず世界に「スターリン」の名がつく街が現れた。ソ連の衛星国となったブルガリアは、スターリンにおもねざるをえず、古都「ヴァルナ」に「スターリン」の名を付けていたのだ。

ラグサ共和国

アドリア海の美しい街**ドゥヴロヴニク**が、かつて有していた通商海洋国家名

クロアチアの最南に位置するドゥヴロヴニクは、アドリア海に面した観光都市として知られる。宮崎駿《はやお》監督の映画「魔女の宅急便」の舞台としても知られるこの街には、ひところまでイタリア系の「ラグサ共和国」があった。

ドゥヴロヴニクは、古代ローマ帝国があった時代、ローマ人の手によって建設されている。当時は「ラグシウム」と呼ばれ、そこからこの地はイタリア語で「ラグサ(ラグーサ)」と呼ばれるようになる。

14世紀、ラグサの地にハンガリー王国から独立した「ラグサ共和国」が登場する。ラグサ共和国は、通商海洋国家として発展する。アドリア海ではヴェネチア共和国を

ラグサ共和国があったドゥヴロヴニク

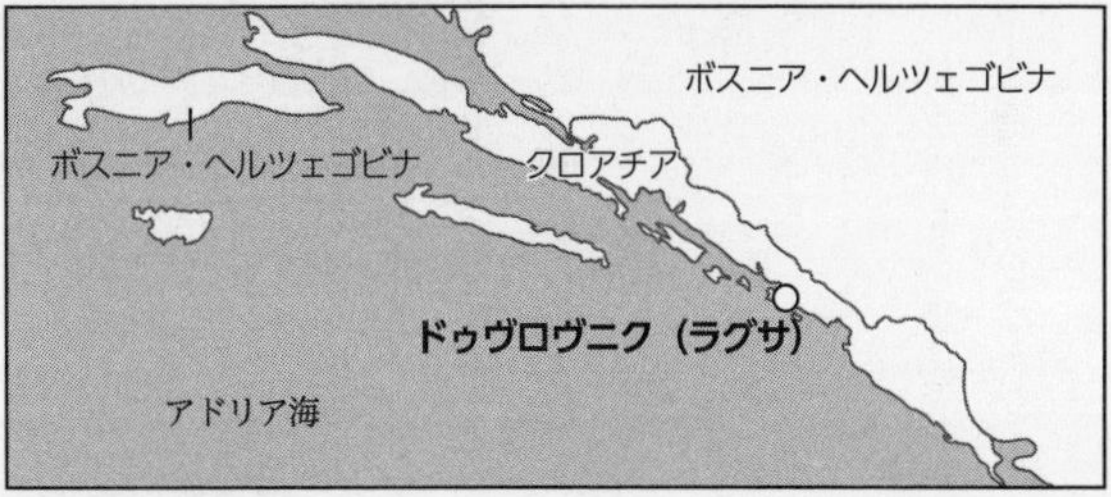

ライバルとし、15~16世紀には海洋交易でおおいに栄えた。

ラグサ共和国は17世紀には地震に見舞われ、さらにアドリア海貿易の低調もあって、しだいに衰退《すいたい》していく。それでも、19世紀初頭まで独立を維持してきた。けれども、19世紀になると、ラグサ共和国はフランスのナポレオンに屈する。こうして独立を失ったラグサ共和国は、ナポレオン戦争ののち、ハプスブルク家に帰属することになる。この時代、スラヴ化が進むほどに「ラグサ」の名が消え、ドゥヴロヴニクと呼ばれるようになる。1918年、第1次世界大戦によってハプスブルク家のオーストリアが瓦解すると、ユーゴスラヴィア領となり、正式に「ドゥヴロヴニク」と命名されている。

レーヴェリ ロシアからの独立とともにタリンと改名したエストニアの首都

エストニアの首都タリンは、フィンランド湾に面し、対岸にはフィンランドの首都ヘルシンキがある。そんな事情からタリンとヘルシンキは水上交通で結びついている。

そのタリンだが、1918年までは「レーヴェリ」という名であった。1918年、エストニアがロシアから独立を遂《と》げたとき、「レーヴェリ」から「タリン」と改められたのだ。

「タリン」の名は、この地にかつて築かれた「トームペア城」に由来する「デーン人の街」という意味であり、13世紀初頭、デンマーク王がトームペア城を築いていた。その名を独立時に復活させたのである。

じつのところ、13世紀、デンマーク王がトームペア城を築いて以後、この地はこの地方の旧名から「レーバル」と呼ばれていた。18世紀初頭、タリンの地は帝政ロシア領となる。以後、ロシア語式に「レーヴェリ」と呼ばれるようになっていた。

エストニアの住人にとって、ロシア時代は暗黒の時代でもあった。そこでロシアからの独立前にロシア語式の「レーヴェリ」を改名し、「タリン」としたのだ。

ニーウアムステルダム
経済都市ニューヨークの前身の素顔とは

世界都市ニューヨークには、じつは棄ててきた名がある。「ニーウアムステルダム（英名ニューアムステルダム）」の名であり、「ニーウアムステルダム」を知ることは、ニューヨークの歴史を知ることにもなる。

ニューヨークの地にもともといたのは、レナペ族であり、レナペ族はこの地を「海の境界の場所」という意味の言葉で呼んでいたようだ。16世紀、フランス王の依頼でイタリア人が訪れたとき、この地を「ヌーヴェル・アングレーム」と名付けている。「アングレーム」はフランスの都市名であり、「ヌーヴェル・アングレーム」とは「新アングレーム」という意味だ。

17世紀初頭、この地に本格的に入植《にゅうしょく》をはじめたのは、オランダ人たちだ。オランダ人たちは、この地周辺を「ニーウネーデルラント（英名ニューネーデルランド）」と命名し、マンハッタン島の南端を拠点とした。この拠点には、「ニーウアムステルダム」の名が付けられた。ニューヨークは、オランダ人たちの新天地として開拓され、形成されていったのだ。当時、オランダは世界最強の通商国家になろうとしていたから、ニーウアムステルダム経営にも力がはいっていた。

そのオランダの通商覇権《はけん》に挑戦したのが、イギリスだ。17世紀後半、3度の英蘭《えいらん》戦争が繰り広げられ、その結果、オランダはニーウネーデルラントの地をイギリスに明け渡すことになった。このとき、この地は新たに「ニューヨーク」と命名されたのだ。

「ヨーク」とは、当時のイギリス国王チャールズ2世の弟「ヨーク公（のちのジェームズ2世）」にちなむ。ヨーク公に、この地が与えられたからだ。

アメリカがイギリスから独立しても、「ニューヨーク」の名はそのままであり、旧名「ニューアムステルダム」に戻ることはなかった。ジェームズ2世は名誉革命によって王の座を追われる不名誉な人物なのだが、アメリカの住人にはどうでもよかったようだ。

2章

権力者の凋落とともに 消えたロシア・ウクライナの地名

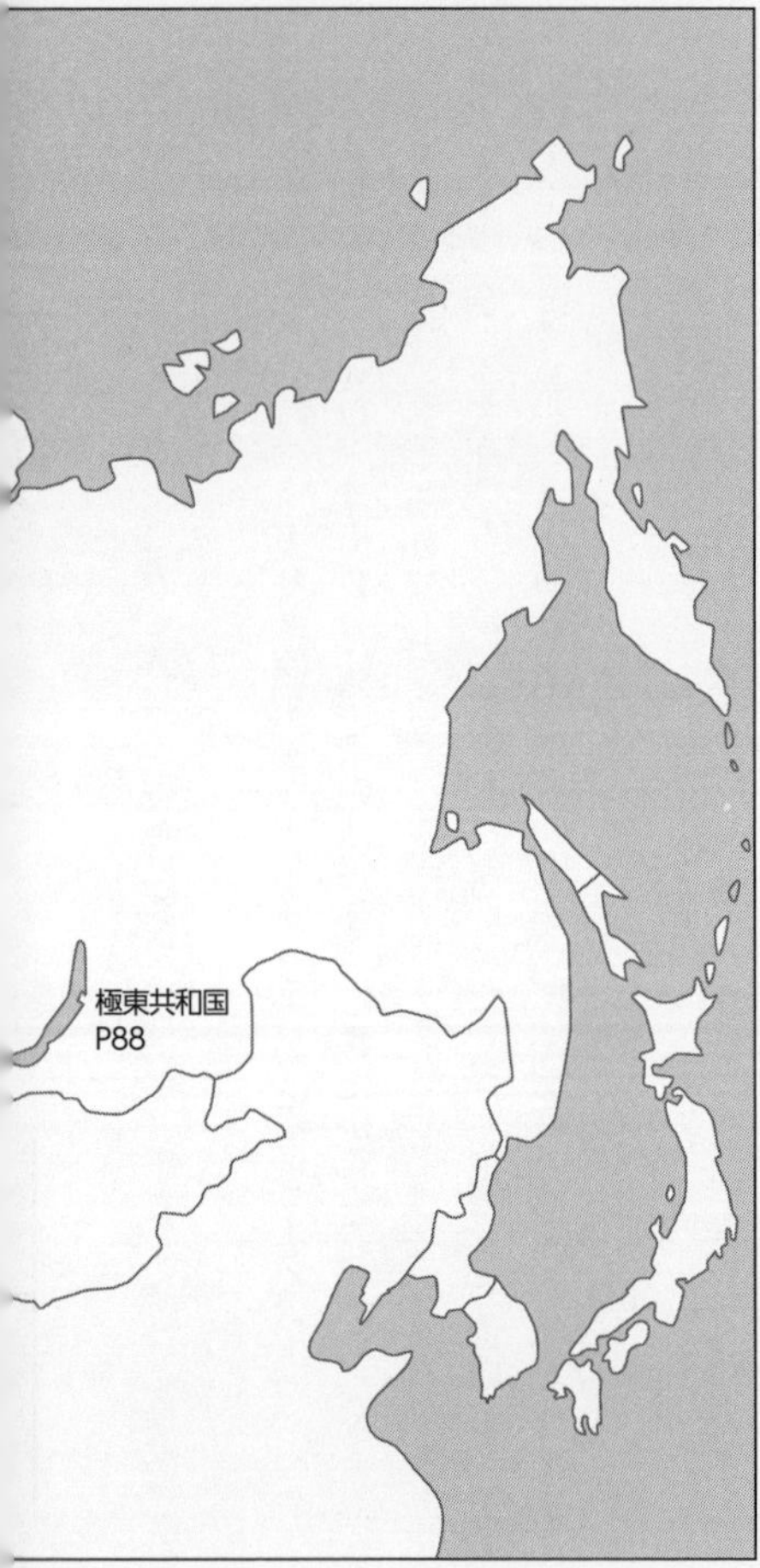

ケーニヒスベルク P79
レニングラード P71
イングリア P75
紅ルーシ
P91
黒ルーシ
P91
カリーニン P82
ゴーリキー P86
スターリングラード P76
スヴェルドロフスク P83
黒海
沿海共和国
P90
カスピ海
ウクライナ
キエフ
P67
スターリン
P66
ジダーノフ
P70
トランスニストリア
総督国
P93
アゾフ海
黒海

スターリン――ロシアが編入を宣言したドネツク人民共和国の中心地

ソ連の絶対的指導者スターリンの名は、「スターリングラード」のみに冠せられたわけではない。じつのところ、20世紀後半の一時期、世界の至るところに「スターリン」の名が付く街があった。ソ連のみならず、世界各地の共産主義国家に「スターリン」の名を付けた街があったのだ。

スターリンを領袖《りょうしゅう》とするソ連は、第2次世界大戦にあってアメリカと並ぶ戦勝国であった。ナチス・ドイツを打ち砕いたこの一点で、スターリンは偉大な指導者と崇《あが》められていた。その非人間的な恐怖政治の実態は隠蔽《いんぺい》されていたから、ソ連を崇拝する国では「スターリン」の名を好んで地名にした。先に紹介したブルガリアの古都「ヴァルナ」の「スターリン」への改名も、そのほんの一例である。

もちろん、ソ連国内にも、「スターリングラード」以外に、「スターリン」の街があった。ドネツク人民共和国の中心地「ドネツク（ドネツィク）」も、またかつて「スターリン」「スターリノ」と名乗っていた。

ドネツク人民共和国は、現在、ウクライナとロシアの間で問題となっている地である。2022年に、ロシアがロシア連邦に編入したと発表したが、欧米諸国の多くは認めていない。

もともと、「ドネツク」には、「ユゾフカ」という地名があった。「ユゾフカ」は、19世紀後半、イギリス人ジョン・ヒューズが近代的溶鉱炉《ようこうろ》を建設したところからはじまる。ユゾフカという名は、ヒューズのロシア語式の呼称であった。

20世紀、ソ連が成立、ウクライナも吸収すると、ユゾフカは「スターリン」、のちに「スターリノ」に改められたのだ。ただ、スターリンの没後、ソ連でフルシチョフによるスターリン批判がはじまると、1961年には、「スターリノ」は「ドネツク」と変えられたのだ。ドネツクとは、ドネツ川沿いの街という意味だ。

キエフ　なぜ、ウクライナは歴史ある首都名との決別を選んだのか?

2022年、世界中で呼称の改めが進んだのが、ウクライナの地名だ。とくに首都「キエフ」については、「キーウ」という呼称が日本でも一気に定着しつつある。

これまで長く呼んできた「キエフ」は、ロシア語「Ｋｉｅｖ」が基になった表記である。「キーウ」は、ウクライナ語「Ｋｙｉｖ」に基づく表記となる。ウクライナ語式の「キーウ」の呼称は、すでに２０２２年よりもまえから一部では使われていたが、世界的には広がっていなかった。

「キーウ」の呼称が広がりはじめるのは、２０１４年のロシア軍によるクリミア侵《しん》攻《こう》からである。そして２０２２年のロシア軍によるウクライナ侵攻によって、西側世界では「キエフ」を消し去り、「キーウ」に一気に改めていったのだ。

従来のロシア式の呼称「キエフ」の名で呼ぶか、ウクライナ式の呼び名「キーウ」に改めるかは、ウクライナにとって大きな問題である。ウクライナを「自立した独立国」とみなすかどうかの問題だからだ。「キエフ」と呼びつづけているかぎり、ウクライナはロシアの従属《じゅうぞく》国家の一面をもちつづける。「キーウ」と呼ぶなら、ウクライナはロシアの軛《くびき》から離れ、れっきとした独立国とみなしてもらえるのだ。

ウクライナはひとところ「小ロシア」という別称があったように、長くロシアの従属国家とみなされがちだが、じつはそうではない。ウクライナがロシアに併呑《へいどん》されてしまうのは、18世紀末のことである。それまでのウクライナは自立国家を打ち立

キーウ公国（11世紀）

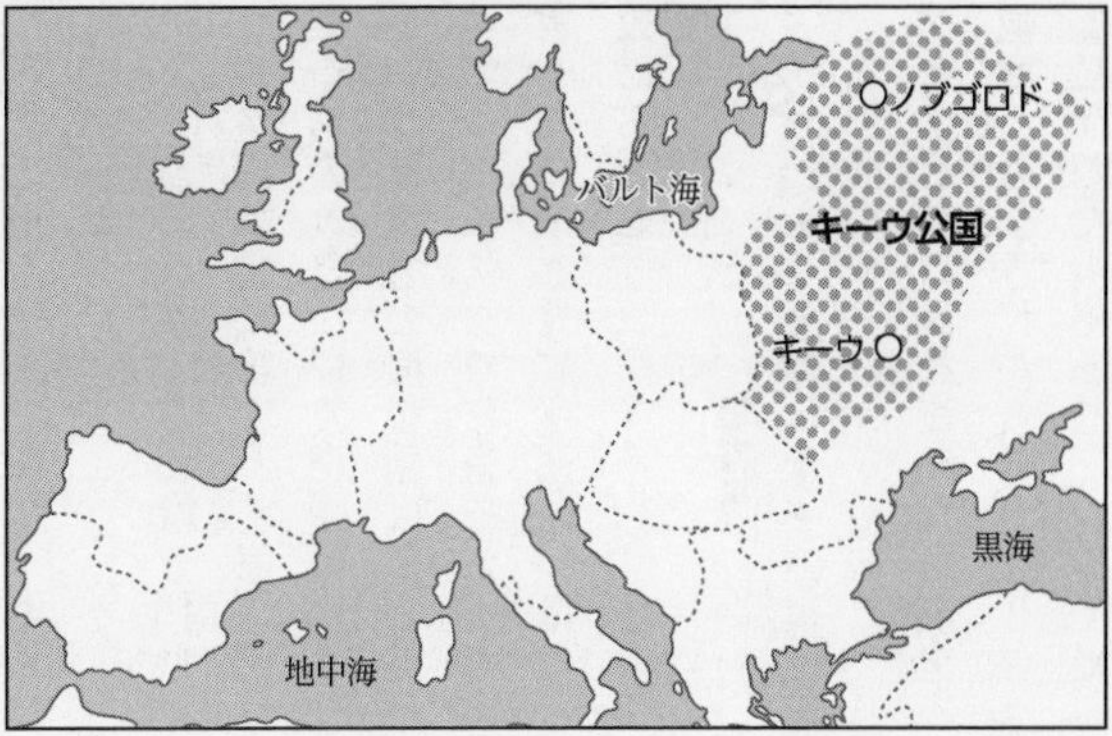

てた時代もあれば、ポーランドやリトアニアに領有されていた時代もある。

あるいは、ロシア（ソ連）による支配を嫌い、一時的にはスウェーデンやドイツ軍の侵攻を、歓迎しようとした時代もある。ウクライナはかならずしも、ロシア一辺倒の国ではないのだ。

しかも、モスクワを都とするロシアの歴史よりも、キーウの歴史はずっと古い。ロシアの歴史のはじまりは、9世紀末に成立した「キーウ（キエフ）公国（キーウ＝ルーシ）」にあるとされる。キーウ公国を建国したのは、スカンディナヴィア半島からやって来たヴァイキング（ノルマン人）の一派であるといわれるが、彼らはすぐにスラヴ化していった。ロシア世界の成り立ちはキーウからはじまったのであり、そのころモスクワは名もない地であった。

モスクワが台頭するのは、15世紀後半になってからのことだ。それはキーウがモンゴル帝国の侵攻によって徹底的に破壊されたからで、辺境のモスクワはモンゴル帝国からの大きな侵攻を受けたことがなかった。キーウが低迷する隙に、モスクワはモンゴル勢力の徴税請け負《お》い役として浮上し、ロシアの主役となっていく。キーウとモスクワにはそれぞれの主張があろうが、キーウの歴史はモスクワよりも古く、モスクワに従属しっぱなしであったわけでもない。その自負が、「キーウ」となって、「キエフ」を消滅させようとしているのだ。

ジダーノフ ウクライナ戦争の激戦地マリウーポリが消し去っていたソ連支配時の旧名

2022年にはじまったロシア軍によるウクライナ侵攻で、一躍世界にその地名が広まったのが、「マリウーポリ（マリウーパリ）」である。マリウーポリは、アゾフ海に面した街であり、ロシア軍対ウクライナ軍の一大激戦地となった。

マリウーポリは、20世紀のおよそ半世紀にわたって、「ジダーノフ」と呼ばれていた。ジダーノフは、ソ連の政治家であり、マリウーポリで生まれた。

その意味でジダーノフは、ウクライナ人である。彼がウクライナ人を意識していたかどうかはともかく、ジダーノフをソ連は顕彰《けんしょう》しようとした。そのため、ウクライナがソ連の一員であった時代の1948年から「マリウーポリ」は「ジダーノフ」と改名させられたのだ。

ただ、ソ連が崩壊していく1989年、「ジダーノフ」の地名は棄《す》てられ、「マリウーポリ」に復帰している。いかに故郷から出た政治家の名とはいえ、ソ連時代を思わせる地名は、ウクライナの住人には好ましいものではなかったのだ。

レニングラード
「レーニンの街」を吹き飛ばした「ピョートル1世の街」サンクトペテルブルク

ロシアの「サンクトペテルブルク」といえば、ネヴァ川の河口にあり、モスクワと並ぶロシアの代表的な都市である。ドストエフスキーの小説『罪と罰』の舞台でもあり、ロシア一の文化都市だろう。

サンクトペテルブルクは、何度かの改名を経験しながらも、旧名に復帰した街である。サンクトペテルブルクは、18世紀にロシアの皇帝ピョートル1世によって建設された都市である。

18世紀初頭、ロシアは遅れた国家であり、大国とはいえなかった。そこに登場したのが、ピョートル1世である。

ピョートル1世はロシアの後進性を恥じ、ヨーロッパの先進国に学び、ロシアの西洋化を構想する。彼は西欧に大使節団を送り込み、西洋の技術や科学を学ばせている。彼自らが使節団の一員に変名で紛《まぎ》れ込み、オランダのアムステルダムの造船所では船大工として働いている。

ピョートル1世がサンクトペテルブルク建設をはじめたのも、西洋化の一環である。それまでの都モスクワは内陸都市であるうえ、西洋とは遠く離れている。フィンランド湾に面するサンクトペテルブルクに要塞《ようさい》都市を築《きず》けば、西欧に近く、かつ開かれた都市となる。それは、ロシアの近代化の原動力となろう。

サンクトペテルブルクのあるネヴァ川河口地帯は、当時の大国スウェーデンが領有するところであった。ピョートル1世は、スウェーデンに戦争を仕掛け、この地を奪い、要塞建設にかかったのだ。

サンクトペテルブルクとは、「聖ペテロの街」という意味だ。「ペテロ」のロシア語読みが「ピョートル」だから、サンクトペテルブルクは「皇帝ピョートル1世の街」という意味ももつ。

ただ、当初、サンクトペテルブルクは、「サンクトピーテルブルッフ」とオランダ語風に呼ばれていた。ピョートル1世にアムステルダム体験があったからだが、このちドイツ語風に「サンクトペテルブルク」と呼ばれるようになった。この当時、ロシアの宮廷にはお雇いドイツ人が多くいたから、その影響だろう。

ピョートル1世は、サンクトペテルブルクが完成すると、モスクワからサンクトペテルブルクに首都を移す。サンクトペテルブルクが都であった時代、ロシアは大国化する。

サンクトペテルブルクの名がたびたび変わるのは、20世紀のことだ。1914年、第1次世界大戦が勃発《ぼっぱつ》、ロシアがドイツと交戦しはじめると、「サンクトペテルブルク」というドイツ語式の読み方は忌避《きひ》された。そこで、ロシア語式の「ペトログラード」となった。

1917年、ロシア革命によってロマノフ王家が滅《ほろ》び、レーニン率いるボリシェヴィキが政権を奪取《だっしゅ》する。首都はモスクワに移され、ソ連が成立する。こののち、ペトログラードはレーニンを記念する意味で、「レニングラード」と改名させられている。

第2次世界大戦にあっては、レニングラードは激戦地となる。レニングラードはドイツ軍に包囲され、ソ連は「レーニンの街」を簡単に明け渡すわけにはいかない。レニングラードは深刻な飢餓《きが》にさらされながらも、ドイツ軍の攻囲を凌《しの》ぎきった。

作曲家のショスタコーヴィチは、この戦いを称揚《しょうよう》すべく、交響曲第7番を作曲。その標題は、「レニングラード」だ。第1楽章にはドイツ軍の不気味な進撃風景が音楽化され、日本では栄養ドリンクのコマーシャル音楽にもなっている。

そのレニングラードの名が消え、サンクトペテルブルクの名が復活するのは、1991年のソ連崩壊後のことだ。住民投票により、「レーニン」の名は棄てられ、古い名が復活したのだ。

レーニンはたしかにソ連建国の祖であるが、その後、彼の主導した住人弾圧が明らかになると、無条件で礼賛《らいさん》できなくなっていた。しかも、ソ連の崩壊で、レニングラードの住人は失意にあったから、かつての栄光の時代を懐《なつ》かしんだ。こうして「レニングラード」という都市名は地図から消え「サンクトペテルブルク」が復活したのだ。

イングリア
由緒ある古名なのに「レーニンの州」によって消されてしまった

ロシアでは現在、都市名としての「レニングラード」は消え去っている。けれども、「レニングラード」の地名はいまだに残っている。サンクトペテルブルクを中心とする州は、「レニングラード州」となっているのだ。

「レニングラード州」は、かつては「イングリア」「インゲルマンランド」「イジョラ」などと呼ばれてきた。いずれも、かつてこの地に居住していたイングリア・フィン人（イジョラ人）に由来する。

イングリアは古来、係争《けいそう》の地となっていて、17世紀にはスウェーデンが領有していた。そののち18世紀初期、ピョートル1世のロシアがスウェーデンを打ち破ったことにより、この地を領有するようになった。この地は「インゲルマンランド県」

になったのち、「サンクトペテルブルク県」に改称されている。

20世紀、ロシア革命によって帝政ロシアが崩壊したときのことだ。この地にいたイングリア・フィン人は「北イングリア共和国」を建国するが、すぐに押し潰《つぶ》されてしまった。

ソ連の時代になると、ペトログラードからレニングラードへの改名に合わせて、「レニングラード州」となる。ソ連が崩壊してのち、「レニングラード」の都市名は消されたが、「レニングラード州」の名は残ったままだ。そして、「イングリア」の旧名は完全に封印《ふういん》されている。

スターリングラード
一度は消えた独ソ戦の激戦地の名が復活しはじめている理由とは

ロシアのヴォルゴグラードは、ヴォルガ川下流域に位置する100万人都市だ。「ヴォルガ川沿岸の街」という意味でその名がついているが、旧名のほうが圧倒的に名高い。

かつての名「スターリングラード」といえば、20世紀、ドイツ軍とソ連軍の大激戦地となったことで世界的に有名だ。独ソ戦下、それまで劣勢にあったソ連軍だが、スターリングラードを死守することで、戦況は逆転する。スターリングラードにいたドイツ軍は、完全に降伏。一転、ドイツ軍は守勢に回り、ソ連軍の逆襲《ぎゃくしゅう》、進撃の前についには屈する。スターリングラードは第2次世界大戦の帰趨《きすう》を決定した都市であり、ヴォルゴグラードを知らない人でも、スターリングラードの名は知っているのだ。

ヴォルゴグラードには、何回かその名を変えてきた歴史がある。16世紀に、「ツァーリツィン（皇后の街）」の名で建設されている。ただ、ツァーリツィンは水運の結節点にあり、狙われやすい街であり、たびたび支配者が代わっている。カルムイク人によって占領され、カルムイク・ハン国になった時代もあれば、コサックのアタマン（指導者）であるスチェパン・ラージンによって征服された時代もある。

ツァーリツィンが「スターリングラード」と命名されるのは、1925年のことだ。当時、ソ連にあってスターリンが独裁権力を掌握《しょうあく》しようかという時代である。この地に、「スターリン」の名がつけられたのは、ロシア内戦下にあってスターリンがこの都市の防衛に貢献してきたからだ。

ヴォルゴグラードの歴史

時代	名称	地位
1589年	**ツァリーツィン（皇后の街）**	
17～18世紀頃		カルムイク人に占領され、カルムイク・ハン国の領土に
1670年		スチェパン・ラージンにより一時占領されるが、すぐに解放
1774年		エメリヤン・プガチョフにより一時占領されるが、すぐに解放
1925年	**スターリングラード**	スターリンにちなんで命名
1942年		スターリングラード攻防戦の舞台となり、戦後は英雄都市に
1961年	**ヴォルゴグラード**	フルシチョフにより改名
2013年以降		年に数日、市名がスターリングラードになる

その後、スターリンが独裁権力を完全に握り、独ソ戦がはじまると、スターリングラードはスターリンにとって絶対陥落《かんらく》させてはならない都市になる。スターリングラードの陥落はスターリンの権威を失墜《しっつい》させ、ソ連を滅亡に追いやりかねなかったからだ。結局、１５０万名近い犠牲者を出すことによって、ソ連はスターリングラードを守り通したのだ。

ただ、スターリングラードの名がついた時代は、短い。スターリンの没後、１９６０年代、フルシチョフによるスターリン批判がはじまると、スターリンの名は悪《あ》しき独裁者として地に落ちた。そのため、「スターリン」の名は消され、「ヴォルゴグラード」となったのだ。

そのいったん消滅したはずの「スターリングラード」の名が、いまロシアで復活しつつある。スターリングラード攻防戦のはじまった8月23日や終結した2月2日など、ソ連の戦いを象徴する日には、限定的ながら、「スターリングラード」の名を復活させることを決めている。

ソ連崩壊ののち、ロシアの住人は自信を喪失《そうしつ》した。スターリングラードは、戦勝の栄光を思い出させてくれる名であり、ロシアの住人の自信回復の源になるとみられているのだ。

今後、ロシアで混沌が広がり、強い独裁者、愛国者が求められる時代がくるようなら、スターリングラードの名は完全復活するやもしれない。

ケーニヒスベルク　ロシアの飛び地カリーニングラードは長年、ドイツの重要都市だった

バルト海に面したカリーニングラードは、ロシア本土から離れた飛び地として知られる。リトアニアとポーランドに囲まれロシアでもっとも西に位置する大都市だ。

カリーニングラードは古い歴史を誇る都市でありながら、「カリーニングラード」として存在した時間は、まだ80年に満たない。それまでは、「ケーニヒスベルク」の名で知られ、長くドイツ人たちが居住してきた都市であった。

ケーニヒスベルクが建設されたのは、ドイツ騎士団によってであり、13世紀半ばのことだ。中世、ドイツ騎士団はドイツ人の東方への植民を進める中心となった存在であり、以後、ケーニヒスベルクにはドイツ人が移住するようになる。

「ケーニヒスベルク」とは、ドイツ語で「王の山」を意味する。ここでの「王」とはボヘミア王オタカル2世であり、オタカル2世がドイツ人の東方移住に貢献してくれたことを顕彰する名である。

その後、プロイセン公国が成立すると、ケーニヒスベルクはプロイセン公国の中心都市となる。プロイセン公国はやがてベルリンを中心とするブランデンブルク選帝侯国と合体する。

こうして1701年に「プロイセン王国」が成立したとき、初代国王フリードリヒ1世の即位式はケーニヒスベルクで執り行なわれている。東方のドイツ人にとって、ケーニヒスベルクは新興のベルリンよりも格式の高い街だったのだ。19世紀に統一ドイツ帝国（第2帝国）が成立してのちも、ケーニヒスベルクはドイツの重要な都市であった。

20世紀、ドイツが第1次世界大戦に敗れたとき、プロイセン内のダンツィヒ（グダニスク）を失う。プロイセンの多くはポーランドの領土になったが、それでもケーニヒスベルクはドイツの領地であった。ケーニヒスベルクは、ポーランドによって隔《へだ》てられたドイツの飛び地になっていた。

ドイツがケーニヒスベルクを失うのは、第2次世界大戦の敗戦によってである。ソ連軍によってケーニヒスベルクは陥落、こののちソ連領となる。ソ連の都市となったケーニヒスベルクは、「カリーニングラード（カリーニンの街）」と改名させられている。

カリーニンとはソ連の政治家であり、元首に相当する中央執行委員会議長を務めてきた。スターリンの粛清《しゅくせい》を免《まぬか》れてきた人物であり、1945年からケーニヒスベルクの名は消され、「カリーニングラード」となったのである。

ソ連崩壊ののち、「スターリングラード」「レニングラード」をはじめソ連の指導者の名をつけた都市は、もとの名に戻されている。だが、「カリーニングラード」は、いまも存在している。旧名「ケーニヒスベルク」が、あまりにドイツ的な名であり、ロシアの住人に好まれなかったからだろう。

ケーニヒスベルク生まれの人物には、哲学者のカント、作家のE・T・Aホフマン、建築家のブルーノ・タウトらがいる。いずれも、ドイツ人として活躍した人物であり、ケーニヒスベルクがもともとはドイツ人の街であったことを物語る。

カリーニン

「カリーニングラード」は残ったけれど消えてしまったもう一つの「カリーニンの街」

1945年、ケーニヒスベルクの名は消え、「カリーニングラード（カリーニンの街）」と名を改めた。ただ、じつのところ、1945年よりも以前からソ連には「カリーニンの街」はあった。1931年に生まれた「カリーニン」も「カリーニングラード」同様、ソ連の元首カリーニンを讃《たた》えるための都市である。

ただ、「カリーニングラード」の名が残ったのに対して、現在、「カリーニン」という都市名は消滅している。代わって、「トヴェリ」という旧名に復している。トヴェリは、モスクワの北西に位置する街である。日本人には馴染《なじ》みの薄い街であるが、ロシアの古都の一つである。街の起こりは12世紀ごろで、モスクワ大公国が台頭《たいとう》していく時代、トヴェリ大公国はモスクワ大公国のライバルとして、ロシアにおける主導権を競いもした。

15世紀末、トヴェリはモスクワ大公国によって占領され、吸収されてしまう。それでもなおトヴェリは栄え、18世紀には、エカチェリーナ2世によって街を一新している。

ソ連時代の1931年、トヴェリが「カリーニン」と名乗るようになったのは、当のカリーニンの生まれ故郷だったからだ。以後、1990年まで「カリーニン」の名でありつづけたが、ソ連崩壊によって、旧名の「トヴェリ」に戻ったのだ。

スヴェルドロフスク
女帝エカチェリーナを讃える
エカテリンブルクの名が消されていた時代とは？

ロシアのウラル山脈の麓《ふもと》に位置する「エカテリンブルク」は、シベリアへの入り口でもある。エカテリンブルクは、20世紀の一時期、「スヴェルドロフスク」と名乗っていたこともある。

エカテリンブルクが建設されるのは、1723年のことである。エカテリンブルクの名は、当時のロシアの皇帝ピョートル1世の妃エカチェリーナを記念してのものだ。ピョートル1世の没後、エカチェリーナはエカチェリーナ1世として皇帝に即位し、ロシア初の女帝となっている。

「エカチェリーナ」の名でもっとも有名なのは、その後に登場するエカチェリーナ2世である。ロシアではピョートル1世（大帝）と並び称《しょう》される女帝であり、啓蒙《けいもう》専制君主として知られる。エカテリンブルクをエカチェリーナ2世の街と思っている人もいるようだが、じつはエカチェリーナ1世の街だったのだ。

エカテリンブルクは、20世紀になって2度も悲劇的な体験をしている。一つは、ロシアのロマノフ王朝が倒れてのち、皇帝ニコライ2世とその家族の処刑地となったことだ。

2度目の悲劇は、スヴェルドロフスクと改名した時代に起きている。ソ連成立ののち、1924年、エカテリンブルクは「スヴェルドロフスク」と改名される。ソ連の政治家スヴェルドロフを記念してのものだ。彼は、エカテリンブルクで革命運動を盛りあげてきた人物である。1919年には死没しているが、ソ連は彼の功績を讃えるため、改名に動いたのである。

スヴェルドロフスクは、1940年代前半、独ソ戦がはじまると、重要な役割を果たすようになる。ドイツ軍に押されっぱなしのソ連は、ウラルの西に位置するスヴェルドロフスクに軍事工場や各種研究所を移転させたのだ。スヴェルドロフスクは、ソ連の軍事生産を支える基地にもなっていた。そのため、戦後にはここに炭疽《たんそ》菌《きん》の研究所が建設されていた。

1979年、スヴェルドロフスクの炭疽菌研究所では炭疽菌が漏出《ろうしゅつ》する大事故が発生している。死者60名以上を出す惨劇となり、これが2度目の悲劇となるが、当時のソ連は漏出を隠蔽していた。事故を認めたのは、ソ連崩壊ののち、1990年代になってからだ。

スヴェルドロフスクという都市名が消えるのは、ソ連崩壊が進む1991年のことで、旧名「エカテリンブルク」に復している。ただ、「スヴェルドロフスク」という名が、完全に消えたわけではない。エカテリンブルクが中心となっている州名は、「スヴェルドロフスク」のままである。「レニングラード」という都市名が消えても、「レニングラード」という州名が残っているのと同じである。

ゴーリキー

ロシアを代表する文豪の名が地名となっていたニジニ・ノヴゴロド

ロシアのニジニ・ノヴゴロドといえば、ロシアの旧都の一つとして知られる。モスクワの東に位置し、長く商業都市として栄えてきた。

ニジニ・ノヴゴロドは、ロシアの発祥となった「ノヴゴロド（新しい街の意）」とは異なる。ノヴゴロドは、ルーシといわれたヴァイキングの一派によって建設された、ロシアでもっとも古い街である。そのノヴゴロドと区別するため、「ニジニ・ノヴゴロド（下の新しい街）」と呼ばれるようになった。

ニジニ・ノヴゴロドにもともとあったのは、モルドヴィン人の要塞《ようさい》「オブラン・オシュ」である。13世紀前半、この要塞をウラジーミル大公が攻め落としてのち、「ニジニ・ノヴゴロド」と命名されたのだ。

19世紀後半、ニジニ・ノヴゴロドで生まれた作家が、ゴーリキーである。ゴーリキーは社会主義リアリズム作家の先駆《せんく》であり、『どん底』で知られる。彼は当初、ロシアにおける革命運動に共鳴し、支援者でもあったが、１９１７年のレーニンによる共産革命には失望したようだ。彼は革命ロシアに懐疑的《かいぎてき》になり、結核《けっかく》の療養《りょうよう》もあってイタリアに移住する。

だが、イタリアでゴーリキーは困窮し、スターリンからの招きもあって、1932年にソ連に帰還《きかん》している。このとき、ゴーリキーの生まれたニジニ・ノヴゴロドは、「ゴーリキー」と改名したのである。

作家ゴーリキーと都市「ゴーリキー」は、ソ連の宣伝材料となった。一般に共産主義政府は、自国の文化を誇らかに語りたがる。当時、さしたる社会主義文学のなかったソ連にあって、ゴーリキーの名は恰好《かっこう》の宣伝となっていたのだ。

ただ、ソ連におけるゴーリキーの生活は悲惨ですらあった。彼はやがて軟禁状態に置かれ、1936年に没している。政府による毒殺も疑われている。

第2次世界大戦ののち、都市ゴーリキーは、文化都市ではなく、軍事都市となっている。軍需工場が置かれたのみならず、原子力産業もこの街で育てられることになった。そのため、ゴーリキーは、外国人が立ち寄ることのできない「閉鎖都市」にもなっている。

1990年、ソ連の崩壊が進む中、ゴーリキーの都市名はもとの「ニジニ・ノヴゴロド」に復帰している。世界的な文豪《ぶんごう》として知られるゴーリキーの名が棄てられたのは、彼が生前、スターリンに追従《ついじゅう》していたからだろう。生活と命のためにしかたなかったとはいえ、スターリンに否定的な時代となると、スターリンへの追従は断罪されるようになったのだ。

極東共和国——ロシア共産党政権が日本に対抗してつくった国は、わずか2年で消滅

1920年から1922年まで、シベリアのバイカル湖以東に存在したのが、「極東共和国」である。極東共和国は、ロシア内戦下で生み出された国である。

1917年のロシア革命は、ロマノフ朝を消滅《しょうめつ》させ、レーニン率いるボリシェヴィキの政権奪取《だっしゅ》となる。ただ、ボリシェヴィキに反対する勢力も多く、ロシアは深刻な内戦に突入する。ロシア各地では、ボリシェヴィキに与《くみ》する赤軍とこれに反対する白軍が衝突した。

のみならず、ロシア革命の広がりを恐れた各国は内戦ロシアに干渉をはじめる。1918年には、日本とアメリカがシベリアに出兵をはじめている。それは、レー

ニン率いるボリシェヴィキ政府の危機であった。そこから、中央の共産政府は「極東共和国」の樹立にかかったのだ。

レーニンのボリシェヴィキ政府にとって、「極東共和国」は日本軍との緩衝《かんしょう》国であった。赤軍が嫌《いや》がったのは、日本軍との直接対決である。ロシアは1904年からの日露戦争に敗れ、日本軍の強さを知っている。日本軍相手に消耗するなら、内戦に打ち勝てず、革命政府の維持はむずかしい。そこで日本軍の前に「極東共和国」を登場させ、日本軍と戦わせると同時に、日本を鎮《しず》めようとしたのである。

じつのところ、「極東共和国」は、実質的にはボリシェヴィキのご都合によって生まれた傀儡《かいらい》国ながら、共産国家とは性格を異《こと》にしていた。首班《しゅはん》となったクラスノシチョコフは、アメリカに亡命していた経験もあり、民主的な人物であった。彼の主導もあって、極東共和国は私有財産と議会制民主主義を認めていた。クラスノシチョコフは、極東共和国をモスクワのボリシェヴィキ政権とは異なる国家にしたかったようだ。

こうした共産主義とは一線を画《かく》した「極東共和国」の登場は、日本に戦う理由を失わせもした。日本は共産主義の広がりを恐れてシベリアに派兵したが、プチブル的な極東共和国があるなら、無理にシベリアに兵を派遣する必要がない。国内では米騒動が発生し、世界ではシベリア出兵の評判も悪くなっている。そうした理由から、1922年にシベリアから撤兵《てっぺい》する。

こうして日本軍の脅威《きょうい》が消滅すると、対日本のために生まれた極東共和国は、レーニンのボリシェヴィキにとっては必要がない。極東共和国で理想を追ったクラスノシチョコフは失脚させられ、極東共和国は消滅して、当時の「ロシア共和国」に吸収されている。

極東共和国に夢を追ったクラスノシチョコフは、のちにスターリンの独裁時代に処刑されている。

沿海共和国 パリ講和会議でロシアの正統政府とみなされながら内戦下ですぐに消えた国

ロシア革命とそれにつづくロシア内戦下に登場した国は、「極東共和国」だけではない。1918年11月には、「沿海共和国」が生まれている。

「沿海共和国」は、公式には「臨時全ロシア政府」と名乗り、シベリアのオムスクを拠点としたところから「オムスク政府」とも呼ばれている。

ボリシェヴィキの傀儡国家だった「極東共和国」とは違い、沿海共和国は反ボリシェヴィキ国家であった。沿海共和国には、ボリシェヴィキに敗れた社会民主党や立憲民主党勢力が集まり、ロシアの正統政府であることを世界に訴えた。そのため、パリ講和会議では、「臨時全ロシア政府」の名でロシアの正統政府と認められている。

沿海共和国の全盛期は、1919年初頭である。クーデターで全権を握ったコルチャーク提督は連合国の支援も得て領域を拡大、ヴォルガ川流域にも迫ろうとした。

だが、沿海共和国の進撃もここまでであった。コルチャークの軍には補給がつづかず、劣勢となる。赤軍にオムスクを奪われたのち、1920年には沿海共和国はあえなく消滅している。

紅ルーシ、黒ルーシ

ベラルーシ（白ロシア）以外にもあった「色」を冠したルーシ（ロシア）

ウクライナの北に位置する「ベラルーシ」は、旧ソ連の構成国であり、ロシアと比較的親しい国の一つだ。その「ベラルーシ」は、「白《はく》ロシア」とも表記される。

だ。
「ルーシ」とは、ロシアの古い呼称であり、ベラは「白」を意味する。ここに「白いロシア人」がいるから「ベラルーシ」となったともいわれるが、別の見方が有力だ。

その見方によるなら、「白」は西を意味し、「白（西）方向のロシア」に由来する。じつのところ、かつては「紅ルーシ」や「黒ルーシ」という呼び名も存在していた。「紅ルーシ」「黒ルーシ」という「色のルーシ」はやがて消滅していったものの、「白ルーシ」の呼称は残ったというのだ。

「白ルーシ」「紅ルーシ」「黒ルーシ」という呼び方をはじめたのは、モンゴル人であると考えられている。13世紀、モンゴル帝国は南ロシアに侵攻、その進撃は東ヨーロッパにまで及ぶ。モンゴル人たちはキプチャク・ハン国を建国、南ロシアを支配する。このとき、モンゴル人は中国式の呼称をロシアに導入したというのだ。

中国には、古代から「五行《ごぎょう》思想」という考え方がある。万物を5つの要素に分け、関連づけていった思想であり、五色と五方も結びつけている。五行思想によるなら、「紅（赤）」は南、「白」は西、「黒」は北を表す。

モンゴル人たちはロシアを攻めるまえ、たびたび中国大陸に侵攻《しんこう》してきた。その過程で、中国では色と方角が結びつけられていることを覚え、これをロシア統治にもち込んだ。「紅ルーシ」とは「南ルーシ（ロシア）」、「黒ルーシ」とは「北ルーシ（ロシア）」のことであり、「白ルーシ」とは「西ルーシ（ロシア）」だったのだ。

では「紅ルーシ」がどこにあったかといえば、諸説あるが、現在のウクライナ西部のガリツィア地方あたりではないかとされる。「黒ルーシ」には、ネマン川上流地域が推定されている。

いずれも、消え去ったまま復活することはない呼称だろうが、「白ルーシ」のみは残り、国家名となっているのだ。

トランスニストリア総督国
ユダヤ人やウクライナ人を虐殺しソ連軍に消滅させられた！

沿ドニエストル（プリドニエストル）は、モルドヴァとウクライナに挟まれた国である。国といっても、世界の多くが認めていないのだが、事実上は独立したようなものだ。

沿ドニエストル国のある一帯は、「トランスニストリア」の名でも呼ばれる。トランスニストリアは、キーウ大公国やジェノヴァ、リトアニア大公国、ポーランドなどの支配を経て、18世紀末にはロシアに併合されていた。

沿ドニエストル国は、1990年代、ソ連の崩壊過程で誕生している。1990年、モルドヴァがソ連から独立を果たしてのち、モルドヴァのドニエストル川流域のロシア系住人が新たな独立を求め、「沿ドニエストル共和国」と名乗った。モルドヴァと沿ドニエストルは戦争状態に陥り、ロシアの支援を得た沿ドニエストルが勝利している。

こうした経緯のある沿ドニエストルには、残酷《ざんこく》な過去がある。第2次世界大戦下の1940年代、「トランスニストリア総督国（共和国）」が建国されたからだ。トランスニストリア総督国を建設したのは、ルーマニアである。

独ソ戦に突入すると、ルーマニアはドイツに加担して、ウクライナ方面へと侵攻をはじめた。ルーマニア軍はトランスニストリアを占領、ここをトランスニストリア総督国としたのだ。

トランスニストリア総督国を認めたのはルーマニアくらいのものだが、この国は地獄を呈《てい》する。トランスニストリア総督国には、絶滅収容所が建設されたからだ。

送り込まれたのは、ルーマニアに居住していたユダヤ人、ルーマニア軍の占領下にあるウクライナの住人らである。

ユダヤ人迫害というと、ドイツが有名だが、ルーマニアではドイツ以上にユダヤ人が迫害されてきた歴史がある。ユダヤ人の絶滅収容所を建設したのは、ドイツ以外では、ルーマニアのみだ。

トランスニストリア総督国でのホロコーストは、ドイツのホロコーストの実行者アイヒマンをも戦慄《せんりつ》させるものだった。冷血なアイヒマンが、トランスニストリアでのホロコーストを中止するよう勧告《かんこく》してさえいるのだ。

1944年、トランスニストリアにはソ連軍が侵攻、トランスニストリア総督国は雲散霧消《うさんむしょう》するが、今度はソ連軍による虐殺《ぎゃくさつ》がはじまっている。

3章 異文化の交差点ゆえに 消えた中央アジアの地名

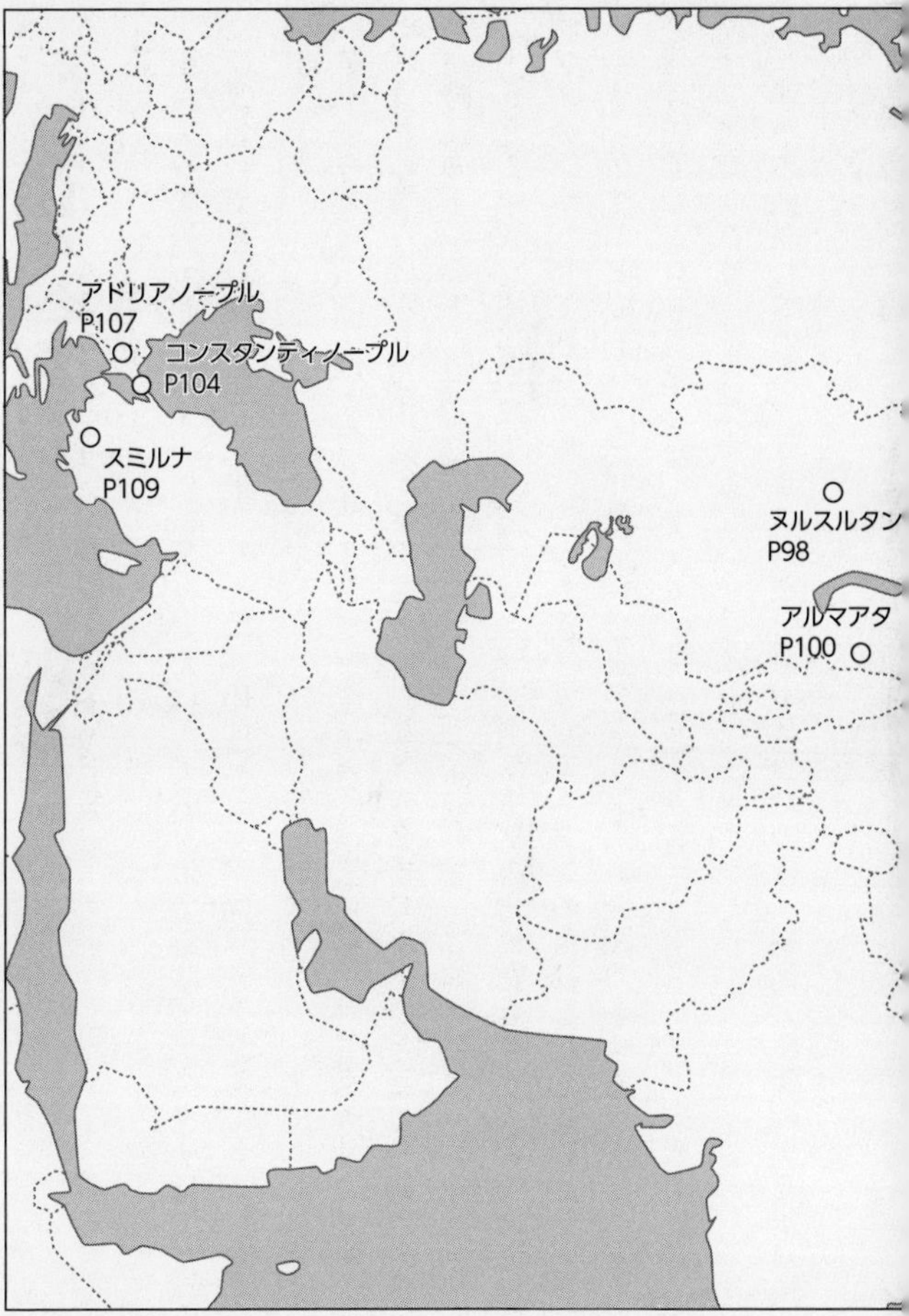
アドリアノープル
P107
コンスタンティノープル
P104
スミルナ
P109
ヌルスルタン
P98
アルマアタ
P100

ヌルスルタン

独裁者ナザルバエフの失脚によって消えたカザフスタンの首都**アスタナ**の旧名

中央アジアのカザフスタンの首都といえば、アスタナである。アスタナは、たびたび改名してきた街である。アスタナは、19世紀前半、コサックたちによって建設され、当初、「アクモラ」と呼ばれた。

「アクモラ」は、「聖地」を意味する。「アクモラ」はその後、「アクモリンスク」と呼ばれるようになり、中央アジアと西シベリアの交易の中継地として発展する。ソ連時代の1961年、「ツェリノグラード」と改名させられている。

1991年、ソ連崩壊によって、ツェリノグラードを含めたカザフ人の国は「カザフスタン」として独立する。このとき、カザフスタンの首都として選ばれたのがツェリノグラードであり、この地に古い名の「アクモラ」を復活させた。「アクモラ」時代は短く、1998年には「アスタナ」に改名されている。「アスタナ」とは、カザフ語で「首都」を意味する。

ソ連から独立してのち、カザフスタンを牛耳ったのは、初代大統領のナザルバエフだ。カザフスタンはナザルバエフの30年近い長期政権によって、彼の独裁国家のようになっていく。

カザフスタンの議会はナザルバエフにおもねり、2008年に「アスタナ」を、「ヌルスルタン・ナザルバエフ」のファースト・ネームから「ヌルスルタン」へと改名を提議する。このときはナザルバエフが辞退したのだが、2019年、ナザルバエフの大統領退任にあたって、ふたたび議会が提議する。このとき、「アスタナ」の「ヌルスルタン」への改名が決定した。ただ、「ヌルスルタン」の都市名はすぐに消えていった。2022年には、もとの「アスタナ」に戻している。

そこには、ナザルバエフの読み違えがあった。後任のトカエフ大統領を、ナザルバエフは操り人形のようにみなしていた。トカエフはあくまでナザルバエフに忠実な中継ぎであり、ナザルバエフは一族をトカエフの後任に充《あ》てる腹づもりだったようだ。それはナザルバエフの読み誤りであり、トカエフは老獪《ろうかい》であった。

2022年1月、カザフスタンで反政府デモが起きたが、その裏にはナザルバエフがいたとみられている。これに対して、トカエフはロシアに支援を要請、デモを鎮圧《ちんあつ》してみせた。これによりナザルバエフは完全に力を失い、トカエフは自立した。トカエフのカザフスタンは、脱ナザルバエフを目指し、「ヌルスルタン」の名を消し去ったのだ。

アルマアタ
19世紀に誕生したのち、たびたび改名したカザフスタンの最大都市アルマトイ

カザフスタンの首都はアスタナだが、最大の都市はアルマトイだ。アルマトイは首都になった時代もあり、リンゴの特産地でもある。「アルマティ」とも表記される。アルマトイは比較的新しい都市ながら、名を変えてきた都市である。アルマトイに街が建設されたのは、1854年のことだ。当時、カザフスタンを征服したロシア軍が戦略要塞を建設し、「ヴェールノエ（忠誠の地）」と名付けた。その後、「ヴェールヌイ」に改称されている。

ヴェールヌイの名が変わるのは、ロシア革命によってである。1921年、新しい名は「アルマアタ」となった。「アルマ」はリンゴ、「アタ」は父を意味し、「リンゴの父」という意味である。「アルマアタ」はロシア語であり、支配者であるロシア人の意志による改名であった。

1990年代、ソ連が崩壊すると、カザフスタンは独立を果たす。このとき、「アルマアタ」の名を「アルマトイ」に改めている。「アルマトイ」とは、「リンゴの里」という意味である。じつは古くからこの一帯で使われていた言葉であり、その古い名をロシア語の「アルマアタ」に代わって採用したのである。

フレー 仏教に由来する古都名が「ウランバートル(赤い英雄都市)」に改名された事情

モンゴルの首都といえば、ウランバートルである。モンゴル最大の都市であり、世界でもっとも寒冷な首都ともいわれる。モンゴルの歴史は古いが、ウランバートルという地名の歴史はまだ1世紀にもならない。

ウランバートルとは、「赤い英雄」という意味である。その名が登場するのは、1924年のことだ。この年、ソ連の支援のもと、モンゴル人民共和国が誕生する。ソ連に次ぐ世界で2番目の共産主義国家であり、共産国家のシンボルである「赤」から、「赤い英雄都市」としてウランバートルの名がつけられたのだ。

それは、モンゴルが古い名を棄《す》てることでもあった。ウランバートルに改名されるまでこの地は、「フレー」とも「ウルガ」とも呼ばれてきた。

ウランバートルがモンゴルの中心の一つになるのは、17世紀前半、チベット仏教の活仏《いきぼとけ》ジェブツンダンパが即位してからだ。モンゴルの住人は、チベット仏教の信者である。ジェブツンダンパはこの地を支配し、彼の廟《びょう》までが建立されたから、この地には巡礼者が訪れるようになり、賑《にぎ》わっていった。

このころから、この地は「フレー」とも「ウルガ」とも呼ばれるようになったのだ。「フレー」とはモンゴルの仏教で見られる「移動寺院」、「ウルガ」とは「宿営」を意味する。

満洲族の清帝国が東ユーラシア帝国を制した時代、モンゴルは清《しん》帝国に服しながらも、一種の盟友《めいゆう》国家であった。この時代、フレーに漢字が当てはめられ、「庫倫」と表記されるようにもなった。「庫倫」は、「クーロン」とも呼ばれるようになった。

20世紀初頭、清帝国が衰退《すいたい》・瓦解《がかい》に向かうと、モンゴルは正式に独立を求めはじめる。そうした中、ソ連の勢力がモンゴルに浸透、モンゴル人民共和国が打ち立てられる。「フレー」は、共産主義革命色の強い地名ウランバートルとなったのだ。

1990年代、ソ連が消滅してしまうと、モンゴルは社会主義を放棄《ほうき》、「人民共和国」を棄て、ただの「モンゴル国」を名乗るようになった。ただ、「ウランバートル」という共産革命色の強い名は残したままだ。

タンヌ・トゥヴァ人民共和国

チベット仏教を国教にしようとして消滅したモンゴルの北の国

20世紀の一時期に存在していた国に、「タンヌ・トゥヴァ人民共和国」がある。モンゴルとソ連に挟まれた半独立国家であり、ハンガイ山脈の北麓《ほくろく》に位置している。この地域は、現在、ロシア連邦内のトゥヴァ共和国である。「トゥヴァ」は、「トーヴァ」「トゥバ」とも表記され、住人の多くはトゥヴァ人である。

トゥヴァは、13世紀から18世紀にかけてはモンゴル人の支配下にあり、「タンヌ・ウリャンカイ（ウリャンハイ）」と呼ばれていた。その後、満洲族の清帝国がモンゴル高原で軍事行動を展開、タンヌ・ウリャンカイは清帝国の版図《はんと》にはいっている。19世紀以降、タンヌ・ウリャンカイに浸透しはじめたのがロシア人である。20世紀初頭、清帝国が衰退し瓦解していくと、ロシア帝国はタンヌ・ウリャンカイを保護国とした。

１９１７年、ロシア革命によってロシアの帝政が消滅すると、ソ連の革命勢力がタンヌ・ウリャンカイに押し寄せる。１９２１年、この地には「タンヌ・トゥヴァ人民共和国」が打ち立てられた。それはソ連の衛星国《えいせいこく》でしかなく、認めたのはソ連とモンゴル人民共和国くらいであったが、ともかく形の上では「タンヌ・トゥヴァ人民共和国」という国があったのだ。

ただ、タンヌ・トゥヴァ人民共和国はソ連の傀儡国家にすぎず、１９２６年には消滅した。初代指導者となったクーラルは、チベット仏教を国教にしようとしたため、ソ連の圧力で逮捕されてしまっている。

その後、トゥヴァはソ連に編入され自治州となり、ソ連崩壊後にはロシア連邦内でトゥヴァ共和国となっている。

コンスタンティノープル
イスタンブールへの改名に秘められたローマ帝国の興亡史

トルコのイスタンブールといえば、トルコ最大の都市にして、もっとも歴史に満《み》ちた世界都市の一つである。ボスポラス海峡を挟《はさ》んで、ヨーロッパとアジアを結ぶ結節点にあり、黒海《こっかい》とマルモラ海、地中海をつなぐ要衝《ようしょう》である。ゆえに、古くから栄え、統治する者も代わってきた。そのため多くの名をもち、消え去った名もある。

イスタンブールは、かつてはビザンティオン（ビザンティウム）、コンスタンティノープル（コンスタンティノポリス）と名乗っていた時代がある。ビザンティオン、コンスタンティノープルの名は、現代の地図からは消えても、歴史地図には強烈に残りつづけている。

イスタンブールの最初の名は、ビザンティオンであり、紀元前660年に創建されている。330年、ローマ帝国皇帝コンスタンティヌス1世は首都ローマを見限り、ビザンティオンに遷都《せんと》する。このとき以来、コンスタンティヌス1世の名から「コンスタンティノープル」の名で呼ばれるようになった。コンスタンティノープルは「新たなローマ」であり、ローマ以上の都とならんことを期待された。

その後、ローマ帝国は395年、東ローマと西ローマに分裂。コンスタンティノープルは東ローマ帝国の都となった。ローマを都とする西ローマ帝国が滅《ほろ》びても、東ローマ帝国は長く存続した。東ローマ帝国は、コンスタンティノープルの古い名ビザンティオンの名をとって、「ビザンツ帝国」とも呼ばれてきた。

15世紀になると、強大化したオスマン帝国は、コンスタンティノープルを欲するようになる。ただ、コンスタンティノープルの守りは堅固であり、容易には攻略できなかった。これを突破したのが、オスマン帝国の「征服者」メフメト2世である。1453年、メフメト2世によって、無敵のコンスタンティノープルは陥落《かんらく》、ビザンツ帝国は滅亡する。

以後、コンスタンティノープルはオスマン帝国の都となる。1457年には名を「イスタンブール」と改める。「イスタンブール」とは、ギリシャ語の「イス・チン・ポリ（都市へ）」という言葉が訛《なま》ったものとされる。イスタンブールには、ビザンツ帝国以来、ギリシャ人が多く、ギリシャの影響を受けてのことだ。

16世紀、バルカン半島から北アフリカも支配したオスマン帝国は準世界帝国となる。イスタンブールは世界屈指の都市となっていた。ただ、20世紀の前半まで、「コンスタンティノープル」という言葉も使われていた。

20世紀、オスマン帝国が解体され、いまのトルコが成立すると、イスタンブールは都の座を新都アンカラ（アンゴラ）に譲《ゆず》ったが、なおトルコ最大の都市でありつづけている。

アドリアノープル

「ローマ皇帝ハドリアヌスの街」として有名になったトルコの**エディルネ**

世界史の中の大きな会戦に、「アドリアノープルの戦い」がある。1362年、勃興《ぼっこう》をはじめたオスマン帝国がビザンツ帝国を打ち破った戦いとして知られる。アドリアノープルにおける勝利によって、オスマン帝国はバルカン半島進出に大々的に乗り出す。一方、敗れたビザンツ帝国の衰亡《すいぼう》は決定的になっていく。

そのアドリアノープルだが、現在、世界の地図からその名は消えてしまっている。現在は、「エディルネ」と名を変えているのだ。

「エディルネ」は、現在、トルコのもっとも西に位置する都市であり、バルカン半島にある。「エディルネ」は、さまざまな呼び方をされてきた都市でもあれば、何回か大きな戦いの舞台にもなっている。

エディルネは、古代には「ウスクダマ」「オレスティス」などと呼ばれ、トラキア人が居住していた。エディルネが世界史の中で大きく浮上するのは、ローマ帝国皇帝ハドリアヌスの征服によってである。ハドリアヌスはこの地に自らの名をつけ、「ハドリアノポリス（ハドリアヌスの街）」としたのである。このハドリアノポリスの英語呼称が、「アドリアノープル」だ。

ハドリアノポリスは、ローマ帝国の要衝であった。ローマが強盛《きようせい》を誇った時代には、バルカン半島進出の拠点であった。ローマがコンスタンティノープルを都とするようになると、コンスタンティノープルの重要な防衛ラインを形成した。

378年、ローマ皇帝ヴァレンスは、この地で西ゴート族と戦い、敗死《はいし》してしまった。このハドリアノポリスの戦いも、世界史では名高い。この戦いにより、ゲルマン民族の移動が本格化していく。

14世紀、ハドリアノポリスに着眼したのは、アナトリアに勃興したオスマン帝国だ。オスマン帝国はバルカン半島進出を目指し、ローマ帝国が目をつけたように、ハドリアノポリスを欲した。それが1362年のアドリアノープルの戦いとなり、以後、オスマン帝国はバルカン半島を北上していく。コンスタンティノープルを攻略して都とするまで、ハドリアノポリスはオスマン帝国の都の一つでもあった。

このオスマン帝国時代、ハドリアノポリスは「エディルネ」と呼ばれるようになる。「ハドリアノポリス」がトルコ語化していくと、「エドレネボル」となり、これが「エディルネ」へと変化したのだ。

エディルネの名から、「ハドリアノポリス」とハドリアヌス帝を想起することはむずかしいが、エディルネの名はこの地のかつての栄光を継承《けいしょう》しているのだ。

スミルナ　トルコの都市イズミルが抱えるギリシャとの因縁

トルコのイズミルといえば、世界的には港湾都市として知られるが、トルコの住人にとっては重要な地である。イズミルこそは、近代トルコの出発点になったともいえるからだ。

20世紀、トルコは第1次世界大戦をドイツやオーストリアに与《くみ》して戦い、敗戦国となる。トルコの存立が揺らぐ中、1919年、ギリシャ軍がイズミルに上陸、占領してしまったのだ。ギリシャの背後には、イギリス、アメリカ、フランスの支援があった。1920年のセーヴル条約では期限付きながら、ギリシャによるイズミル領有が認められた。トルコはギリシャに侵食《しんしょく》され、亡国の危機にさえあった。

そうした中、イズミル奪回に立ち上がったのがケマル・アタチュルクだ。アタチユルク率いるトルコ軍はギリシャ軍と戦い、イズミルを奪還《だっかん》する。イズミル奪還は、トルコの起死回生の逆転劇であり、近代トルコの出発点になったといっていい。

そのイズミルだが、かつては別の名「スミルナ（スミュルナ）」で呼ばれていた。「スミルナ」の名は、ギリシャ人によるものだ。

ギリシャ人によるスミルナ建設は、紀元前3世紀のことだ。以後、スミルナはギリシャ人の交易都市としてありつづけた。中世、ビザンツ帝国の時代も、スミルナにはギリシャ人たちがあった。

14世紀以降、スミルナを手にしたのは、オスマン帝国である。オスマン帝国のもとでもスミルナは栄え、トルコ系の住人たちはこの地を「イズミル」と呼ぶようになった。ただ、このオスマン帝国時代、トルコ系住人とギリシャ人は対立していたわけではない。オスマン帝国が比較的寛容な帝国だからでもあれば、18世紀まで民族主義というものが存在しなかったからだ。

ギリシャとトルコの対立があからさまになっていくのは、19世紀以降のことだ。フランス革命は各地に民族主義の火をつけ、オマスン帝国（オスマン＝トルコ）の支配下にあったギリシャでは独立戦争がはじまり、19世紀前半、ギリシャはオスマン帝国から独立を果たす。以後もギリシャとトルコの対立はつづき、イズミルの攻防となったのだ。

トルコにとって、ギリシャ人起源の「スミルナ」の名は永遠に封印したいだろう。一方、ギリシャ人にとっては、いまなお「イズミル」は「スミルナ」なのである。

東トルキスタン共和国

清王朝滅亡後、二度にわたって独立を目指した新疆

中国の新疆《しんきょう》ウイグル自治区では、現在、中国政府によるウイグル人の弾圧があり、世界的な問題になっている。中国は新疆の完全な漢化を狙っているようで、それはこの地の過去にあった名を抹殺していくようなものだ。

新疆は、世界的には「東トルキスタン」と呼ばれる。「トルキスタン」とはトルコ（チュルク人）系住民が多く居住している地域をいう。パミール高原の東西に広がる地帯であり、アフガニスタン北部までを含む。新疆は、東にあるトルキスタンだから、東トルキスタンなのだ。

もっとも、「新疆」の名と「東トルキスタン」の名のどちらが古いかといえば、「新

広義のトルキスタンと呼ばれる地域

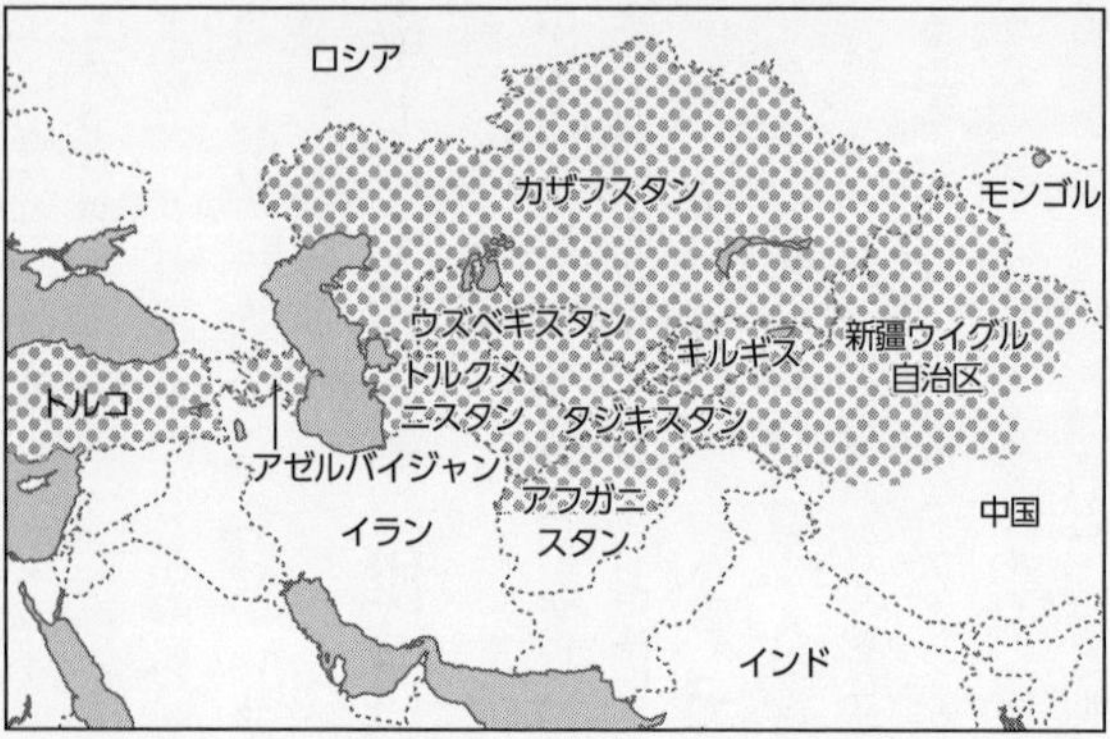

疆」のほうだ。「新疆」は18世紀半ば、この地を征服した清帝国の乾隆帝《けんりゅうてい》による命名だ。一方、「トルキスタン」は、19世紀に民族主義が高まってのち生まれた概念による呼び名である。

東トルキスタンをしばしば勢力圏としたのは、モンゴル高原にあった遊牧民族の勢力である。中世の突厥《とっけつ》、ウイグルなどが典型であり、いずれもチュルク系とされる。その後、イスラム王朝のカラ・ハン朝の支配に移ると、東トルキスタンのイスラム化が進む。

東トルキスタンは、その後、キタイ人のカラ・キタイ（西遼）の支配を経て、モンゴル帝国に併呑《へいどん》される。モンゴル帝国の時代には、「モグリースタン」とも呼ばれていた。「モグリースタン」は、ペルシャ語で「モンゴル人の土地」を意味する。

東トルキスタンの地に「新疆」の名が付くのは、18世紀半ばである。当時、モンゴルのジュンガル部がこの地を支配していたが、清朝に敗れ去る。この地を新たに手に入れた清の乾隆帝は、「新しい土地」という意味で「新疆」の名をつけた。

ただ、清帝国に吸収されたといっても、新疆は直接統治されたわけではない。新疆は、モンゴルやチベットと同じく藩部として扱われ、その文化は尊重されてきた。

新疆で独立運動が起きるのは、19世紀以降のことだ。清朝が衰退していくにつれて漢族の発言力が強まり、漢族は新疆の中国化を目指した。この中国化、漢族化に反発して、新疆では独立運動がはじまったのだ。

清朝が消滅した20世紀になると、新疆では「東トルキスタン共和国」が2度にわたって建国されている。まずは1933年から、つづいては1944年からであり、ともにわずかな期間の独立でしかなかったが「東トルキスタン共和国」は存在したのだ。

中国は新疆での独立運動を封じるべく、「東トルキスタン」の名を封印している。

4章
王朝の栄枯盛衰に沿って 消えた中国の地名

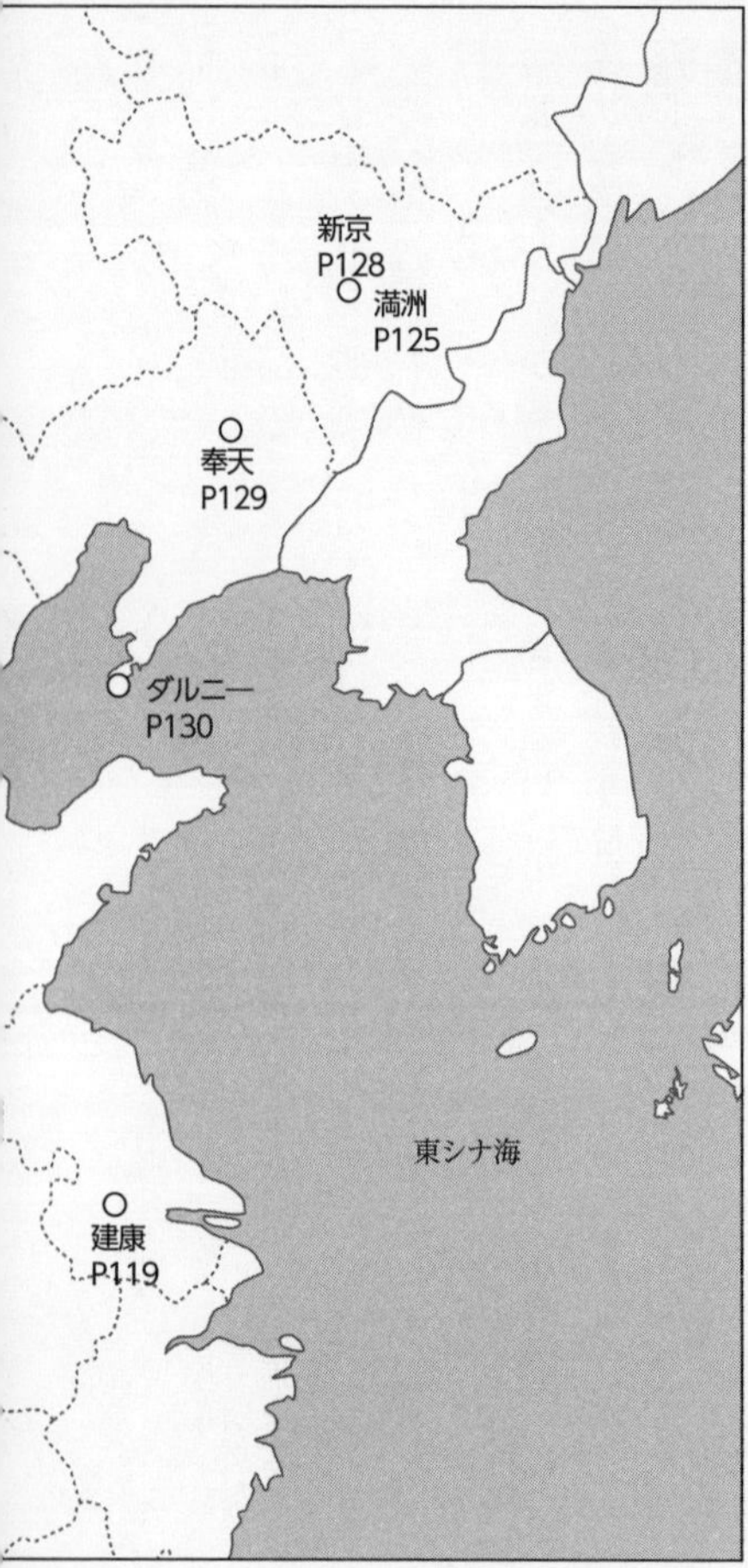

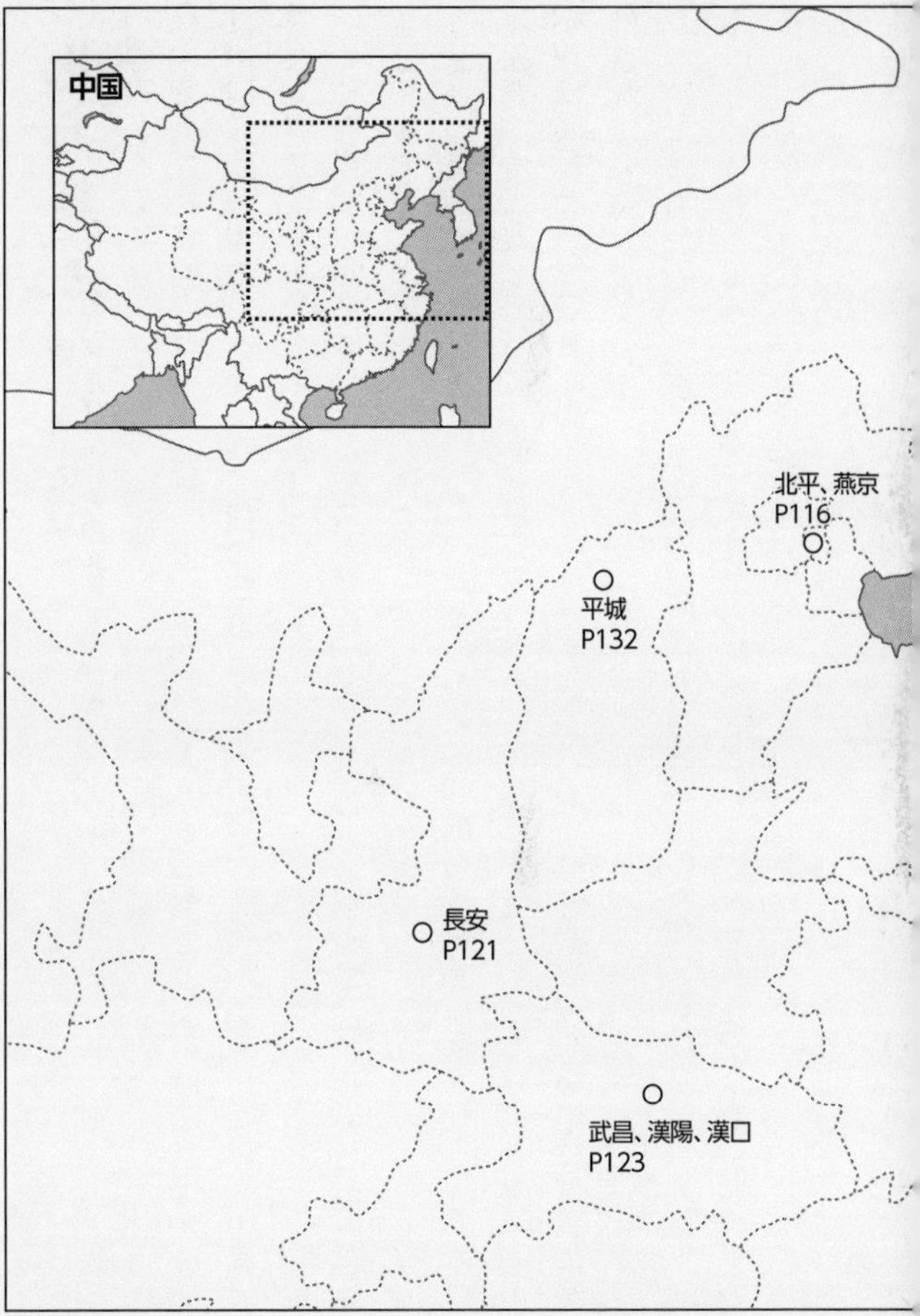
中国
北平、燕京
P116
平城
P132
長安
P121
武昌、漢陽、漢口
P123

北平、燕京

中国の首都・北京はなぜたびたびその名を変えたのか

中華人民共和国の首都「北京《ペキン》」は、中国の古くからの都ではない。北京はかつては中国大陸の辺境とみなされ、田舎街であった。ただ、時代を追うにつれ、中国大陸における北京の重要性は高まった。

その過程で、北京はたびたび名を変えてきた。古い名を棄て、新しい名をつぎつぎと獲得することで、中国大陸の都となっていったのだ。

北京の最初の名は、「幽州」だったといわれる。幽州は紀元前2000年ころに築かれ、その後、春秋戦国時代には、「燕国《えん》」の都となり「薊《けい》」と呼ばれた。燕国からは楽毅《がくき》という名将が出て、一時は盛強《せいきょう》であったが、戦国時代の後半には秦《しん》に滅ぼされている。

中国大陸を統一した秦・漢帝国の時代から唐帝国の時代にかけては、薊は「北《ペイ》平《ピン》」と呼ばれるようになる。「北を平らげる」という意味であり、「北の都」「北の拠点」的な意味合いがあった。

ただ、秦、漢、唐といった帝国が都としたのは、黄河《こうが》中流域の長安《ちょうあん》や洛陽《らくよう》である。北平は長安や洛陽とは遠く、辺境の守りの中心といった程度でしかなかった。

北京の地位が上がるのは、11世紀以降のことだ。10世紀以降、これまでになく強大化を遂《と》げはじめたのは、モンゴル高原や満洲の勢力である。彼らが南下をはじめ、中国大陸の王朝を侵食しはじめたとき、北平は中国大陸進出の入り口でもあったから、中国大陸を統治する都の意味も出てきたのだ。

10世紀、中国大陸の北方で強大化したのは、キタイ（契丹）人たちである。彼らは、中国風の国号を「遼《りょう》」とし、後晋《こうしん》建国を支援する代償として、燕雲《えんうん》十六州を譲《ゆず》り受けた。燕雲十六州には北平も含まれていて、遼帝国は北平を副都として「南京」と名付ける。あるいは、「燕京《えんけい》」とも呼ばれた。

12世紀、遼帝国を滅ぼしたのは、満洲に勃興したジェシェ（女真）族の金帝国である。1127年、金は中国大陸の宋《そう》王朝をいったんは滅ぼす。

北京の名称変遷

時代	名称	地位
紀元前2000年頃	**幽州**	
春秋戦国時代	**薊**	燕国の都
漢から唐	**北平**	北の都、北の拠点
10〜11世紀	**南京(燕京)**	遼の副都
12世紀	**中都**	金の都
13世紀	**大都**	モンゴル帝国の都
14世紀	**北平**	明の洪武帝により北平に改名
1403年	**北京**	明の3代皇帝·永楽帝により改名し、首都になる

金は燕京を都とし、その名を「中都」と改めた。中都は北中国から満洲にかけての都に成長していた。

13世紀、金を滅ぼしたのが、モンゴル帝国だ。モンゴル帝国のフビライは、都をカラコルムから中都に移し、その名を「大都《だいと》」とした。大都にはマルコ・ポーロをはじめヨーロッパの商人も訪れ、大都は中国大陸の中心都市のみならず、世界的都市にのしあがっていた。

14世紀、明《みん》帝国がモンゴル勢力を北方に追いやると、初代皇帝の洪武帝《こうぶてい》は都を南京とした。大都は首都の地位から陥落したため、旧名の「北平」に戻された。漢族至上主義の強い明では、モンゴルや満洲色の強い「中都」「大都」の名は嫌われたのだ。ただ、北平はまもなく首都に返り咲く。北平に封《ほう》じられていた洪武帝の弟は野心家であり、2代皇帝・建文帝《けんぶてい》と戦ったすえ、帝位を簒奪《さんだつ》、3代皇帝・永楽帝《えいらくてい》として即位する。永楽帝は、「北平」を都にふさわしい名「北京」に改め、首都としたのである。

以後、中国大陸の都は基本的には北京となる。明滅亡のあとには、満洲からやってきた満洲族の清帝国も、北京を都としている。清が消滅した20世紀、孫文《そんぶん》の南京《ナンキン》臨時政府や蔣介石《しょうかいせき》の国民政府は南京を首都としたものの、南京政権が長続きすることはなく、北京に都の座が戻ってきた。

こうして北京は、「薊」「北平」「燕京」「中都」「大都」といった過去の名を棄てることで、不動の首都の地位を得ていった。とくに「中都」「大都」時代に大きく浮上したにもかかわらず、その名は歴史に残るのみだ。「燕京」に関しては、日本の中華料理店名になっているが、その名が北京の旧名であると知る人は少ないようだ。

建康 南京が中国の都となるまでに経てきた名の数々

南京は、中国南部の大都市の一つであり、北京との対で中国の古い都のようなイメージがある。たしかに南京の歴史は古い。古くから栄えていたが、中国大陸を統一した王朝の都としての歴史はさほどではない。南京は長く南方の地方政権の都でしかなく、時代によって、さまざまな名で呼ばれてきたのだ。

南京は、中国の春秋戦国時代にすでに存在している。春秋時代、呉《ご》がここに城を築《きず》くが、呉はやがて楚《そ》に滅ぼされる。楚はこの地に「金陵邑《きんりょうゆう》」を設置する。

その後、秦の始皇帝の時代、金陵邑は「秣陵《まつりょう》県」と改名されている。「秣」とはまぐさ（飼料）のことであり秦の始皇帝はこの街を貶《おとし》めようとしていた。その後、三国時代になると、呉の総帥《そうすい》である孫権がこの地に都を置き、「建業《けんぎょう》」としている。

建業（南京）が中国大陸の中で浮上するのは、4世紀以後のことだ。それまで建業のある華南《かなん》は、未開の地に等しかった。中世以降、華南は中国の穀倉地帯に変貌を遂げるが、もともと華南は蒸し暑い地帯であり、マラリアをはじめ疫病《えきびょう》の多発地帯であった。華北の住人は疫病を恐れ、華南の開拓をすることはなかったのだ。

そうした中、4世紀以後、中国大陸の華北を占拠したのは、匈奴《きょうど》や鮮卑《せんぴ》という異民族である。漢族の晋王朝は南匈奴によって滅ぼされ、晋王朝の残党は華南に亡命、ここに東晋《とうしん》を改めて建国する。ここから先、中国大陸では南北朝がはじまり、華南の南朝は建業を都とした。建業は「建康《けんこう》」と名を改められるが、中国大陸の一方の都にもなっていたのだ。

その後、北朝系の隋《ずい》帝国によって中国大陸が再統一されると、南京の地位は落ちる。隋の時代には「江寧県」、つづく唐帝国の時代には「金陵県」「白下県」「上元県」などと改名され、都感はなかった。

14世紀、南京はついに中国大陸の首都となる。1368年、洪武帝が明帝国を建国したとき、彼はここを「金陵」、あるいは「応天府」の名で都としたのだ。その後、すでに述べたように3代皇帝・永楽帝によって金陵は陥落、都は北京に移る。このとき、永楽帝は金陵を「南京」としている。北京に次ぐ副都としての「南京」だった。

以後、南京はときどき首都の座を獲得している。清帝国を打倒しようとした太平天国の都にもなれば、孫文の臨時政府、蔣介石の国民政府の都にもなっているが、北京の前には劣勢であった。

長安 西安の前身は、唐の栄華を象徴する都だった

中国の西安《せいあん》は、黄河の支流・渭水《いすい》中流域にある都市である。現代史の舞台にもなっていて、中国国民政府の蔣介石総統がこの地で監禁された「西安事件」はこの地で起きている。

西安の知名度は北京や上海《シャンハイ》よりも低いのだが、旧名なら別だ。西安はかつては「長

安」の名で、中国王朝の首都でありつづけた。

長安は、古くから中国王朝の都であった。周《しゅう》王朝の時代には「鎬京《こうけい》」の名で都となる。春秋戦国時代を経て、紀元前3世紀、秦の始皇帝が帝国の都に選んだのは、渭水の北岸であり、この地を「咸陽《かんよう》」とした。

秦帝国滅亡ののち、劉邦《りゆうほう》の漢帝国が誕生すると、渭水を挟んで咸陽の対岸に長安を建設、ここを都とする。後漢時代になると、都は東の洛陽に移されたとはいえ、秦・前漢時代、長安は中国大陸の都として機能していた。

6世紀末、隋帝国が南北朝を統一すると、やはりこの地に都を選び、大興城《たいこうじよう》を築いた。隋に代わった唐帝国もまた、長安を都とした。唐帝国の時代、長安は世界都市となる。長安にはソグド人をはじめとする西アジア方面の商人が現れ、キリスト教やマニ教も伝わった。日本の空海も、留学生として訪れている。

ただ、長安が都となった時代は唐で終わっている。唐帝国崩壊ののち、長安が都となることは二度となかった。すでに北京の項目で述べたとおり、10世紀以降、満洲やモンゴル勢力の中国大陸への浸透がはじまった。彼らは中国大陸に侵攻し統治するとき、好んで北辺の北京を都に選んだ。満洲やモンゴルの統治者には、長安は故郷から遠すぎ、眼中になかったのだ。

14世紀、漢族至上主義の明帝国が建国されたときも、長安を都とする選択はなかったようだ。明建国まもなくの1369年、長安は「西安」と改名されている。西安と名をつけたのは、中国の王朝にとって、西安がもはや中国の中心ではなく、西の拠点にすぎないことを意味していた。西安になってのち、西安はさらに地位を落とし、北京や南京が都となっていたのに対して、地方都市に甘んじることになる。

1930年、西安は「西都」に改称されたが、まもなく「西安」に戻っている。西安の全盛時代は、世界地図から消えてしまった「長安」の時代であったのだ。

武昌、漢陽、漢口
武漢三鎮と称された都市の名が消滅してしまった理由

中国の武漢《ぶかん》といえば、長江《ちょうこう》の中流域にある大都市だ。近年、新型コロナウイルス流行の発生源となった街として、世界的に知られる。

武漢は古い都市でもあれば、合併市でもある。その合併により、武漢は有名な地名を消してきた。「武漢」を成立させているのは、「武昌《ぶしょう》」「漢陽《かんよう》」「漢口《かんこう》」である。

「武昌」「漢陽」「漢口」は、「武漢三鎮《ぶかんさんちん》」とも呼ばれてきた。政治や文化の武昌、商業の漢口、工業の漢陽という言い方もある。

　武昌に関しては、名付け親は呉の孫権だともいわれている。魏《ぎ》の曹操《そうそう》と呉の孫権が戦った赤壁《せきへき》は、武昌に近く、孫権は武昌近くに陣取った。孫権はこの地を「武運昌盛」の意味で「武昌」と名付けたという。武昌は、中国現代史の中でも大きな働きをしている。20世紀初頭、清帝国が完全に傾いてしまったとき、中国各地では蜂《ほう》起《き》がはじまった。武昌でも武装蜂起が発生、清朝からの独立を宣言する。これは「武昌起義」と呼ばれ、清帝国を消滅させる辛亥《しんがい》革命に発展する。

　漢口はというと、19世紀、アロー号戦争の後始末である天津《てんしん》条約によって、開港地に選ばれている。以後、漢口は「東洋のシカゴ」と呼ばれるほどの経済発展を見せている。

　こうしてそれぞれの歴史をもつ武昌、漢陽、漢口だが、17世紀のころから「武漢三鎮」とも呼ばれるようになる。そして１９２６年、武昌、漢陽、漢口が合併し、武漢となる。

　武昌、漢陽は行政区の名で残ったものの、漢口の名は行政区からも消えてしまっく方向にある。武漢の名は世界的に有名になったのだが、武漢を形成した古い地名は消えていた。

満洲
長い独立の歴史を封印しようとする中国東北部という現名

現在の中国東北部には、長春《ちょうしゅん》、瀋陽《しんよう》といった大都市があり、発展を遂《と》げてきている。その中国の「東北部」だが、かつては「満洲（古い地名、民族を指す場合は洲の漢字を採用）」の名で呼ばれてきた。「満洲」の名は中国政府の封印《ふういん》した地名であり、いまは世界の地図から消えている。

「満洲」は、もともとは民族の名である。この地に長くいたのはジェシェン人であり、漢字では「女真」とも「女直」とも書いた。ジェシェン人は12世紀に中国大陸に侵攻、北中国を自らの版図とした時代もあったが、その後、退潮《たいちょう》していた。17世紀、新たに満洲で独立勢力になろうというとき、彼らは名を改めた。中国語では「ジェシェン」には従属民の意味があり、ジェシェン人は中国への従属を嫌った。そこから、自らを「マンジュ」の名に改めた。

「マンジュ」とは仏教の「マンジュリ（文殊菩薩《もんじゅぼさつ》）」に由来するともいわれるが、漢字で表記したときには「満洲」となる。その満洲族の統治する土地が、「満洲」と呼ばれるようになったのだ。この満洲族を満洲で束《たば》ねたのがホンタイジであり、彼は清帝国を建国し、明王朝と争う。明の消滅ののちには、清は中国大陸を制覇《せいは》し、チベットやモンゴルを従える帝国を築いている。

19世紀後半、満洲に浸透をはじめたのはロシアである。ロシアは満洲にハルビン、大連などを建設、ロシアの南下を恐れた日本はロシアとの日露戦争を戦うが、ほとんどの戦場は満洲であった。

20世紀初頭、清帝国が消滅してのち、「満洲」の名は世界的な問題にもなる。1930年代、日本の関東軍によって「満洲国」が建国されたからだ。満洲国の皇帝には、清朝最後の皇帝となった溥儀《ふぎ》が即位している。

満洲国建設は日本の侵略とみなされ、満洲国建国を一つのきっかけに日本は国際連盟を脱退している。ただ、傀儡《かいらい》色が強い満洲国であっても、その後、承認する国も出ている。ドイツ、イタリア、スペイン、ポーランド、タイなどである。

1945年、第2次世界大戦下、ソ連軍が満洲に侵攻、日本が降伏すると満洲国は消滅する。スターリンのソ連は満洲を獲得しながらも、毛沢東の中国に譲り渡している。以後、中国では満洲は「東北部」と呼ばれるようになったのだ。

中国が「満洲」の名を消し去ったのは、屈辱の歴史を封印したいからだ。小国とみなしていた日本に「満洲国」を建国された十数年まえの歴史は、忌《い》ま忌《い》ましい。のみならず、満洲族の清帝国に完全支配されてきた歴史も、漢族至上主義の考えからすれば、抹殺《まっさつ》したい。

そもそも、満洲の地が中国固有の領土であるとは言い切れないところがある。もともと満洲にいたのは、漢族とは異なる民族であり、独自の文化と歴史を有してきた。満洲にはかつては高句麗《こうくり》、渤海《ぼっかい》などがあった。高句麗、渤海は中国王朝に朝貢《ちょうこう》していたにせよ、独立国であった。その後、満洲を支配した遼帝国、金帝国は中国大陸の王朝と対立し、中国王朝を圧迫してきた。金帝国は、華北の支配者にまでなっている。

こうした歴史があるからこそ、逆にいまの中国はこうした満洲の歴史を「小さく」押し込めたい。そこで「満洲」の名を消し、あたかも中国の固有の領土であるような「東北部」という名をつけているのだ。

新京 わずかな期間ながら満洲国の首都となった長春

中国東北部の代表的な都市の一つが、長春だ。瀋陽とハルビンの中間にあり、完全な内陸都市だ。長春には、短期間ながら、一国の都であった時代があり、その時代には「新京《しんきょう》」を名乗った。それは日本が満洲国を建国した時代であり、長春は満洲国の首都として「新京」となったのだ。

もともと長春は、そう大きな街ではなかった。建設されたのは18世紀末のことであり、満洲国が生まれる以前は、域内の人口は5万人にも満たなかった。それが、満洲国時代に発展を遂げている。

満洲国を建設した日本は、満洲を実験国家のようにみなしていたところがある。国内ではできない大がかりな建設を満洲で試そうとしていて、新京の大型都市計画もその一つだった。

ただ、日本が第2次世界大戦に敗北し、満洲国が消滅すると、長春はもとの名に復帰している。「新京」の名は、完全に忘却されている。

奉天

古くから満洲の都であり、日露戦争の激戦地となっていた瀋陽

中国東北部の瀋陽は、東北部の商業・工業の中心地であり、満洲（東北部）の歴史の中心でもあった。そのため、支配者が何度か代わり、そのたびに呼び名も変わり、古い名は消えている。

瀋陽の歴史は古く、中国の漢帝国の時代に建設されていた。その後、10世紀にキタイ人の遼帝国が満洲の支配者になると、ここを「瀋州」としている。その後、モンゴル帝国が支配者になると、「瀋陽路」を設置している。

17世紀初頭、満洲にあって満洲族が勃興し、後金国を建設すると、彼らは瀋陽を自らの都に選ぶ。このとき、名を都らしく「盛京《せいけい》」と改めている。その後、後金国が清と名を改めてのちも、しばらくは盛京が都でありつづけた。

ただ、17世紀中盤、清帝国が中国大陸を征服し、北京を都とすると、帝国の都は北京となる。盛京は副都となったのち、１６５７年、ここに「奉天府《ほうてんふ》」が置かれている。「奉天」とは、「奉天招運、皇帝詔日」というめでたい言葉の略だ。この「奉

天」が、盛京の別名のようになる。こののち1664年には、清は盛京に「承徳県《しょうとくけん》」を設置したため、「盛京」は「承徳」となる。

1905年、承徳の地は日本にとって重要な決戦地となる。日露《にちろ》戦争にあって、陸軍の決戦地が承徳周辺であった。戦いは「奉天の戦い」と呼ばれ、日本はこの戦いを勝ちきることによりロシアの戦意を大きく挫《くじ》き、休戦へと持ち込んでいる。

その後、「承徳」の名はつぎつぎと変わる。1912年、清朝の消滅、中華民国の誕生に伴い、「承徳」は「瀋陽」の名に戻されたが、時代によって「奉天」の名も使われる。1920年代には、張作霖《ちょうさくりん》を首領とする奉天軍閥の根拠地にもなった。

1930年代、満洲事変ののち日本が満洲国を建国すると、この地は「奉天」となる。日本にとって、奉天は記念すべき戦勝の地名だったからだが、1945年、日本が第2次世界大戦に敗れると、満洲国は消滅、奉天は瀋陽に戻っている。

ダルニー ロシアがパリをモデルに建設した半島の港町・大連

中国の遼東《りょうとう》半島の先端にある大連《だいれん》は、港湾都市として知られる。アカシア並木のあるその街並みの美しさは、「北海の真珠」とも呼ばれる。

大連は、じつは新しい街である。19世紀末まで、この地は「青泥（チンニー）」と呼ばれる貧しい漁村にすぎなかった。それが一変するのは、ロシアによってである。19世紀後半、ロシアは満洲への浸透を狙い、遼東半島先端部に良港の候補を見つけた。そこから、ロシアは清朝からこの地を租借地《そしゃくち》として譲り受けた。このとき、「ダルニー」と名付けたのだ。「ダルニー」とは、ロシア語で「遠い」という意味だとも、「堤防のある岸」という意味だともいう。

ロシアはダルニーの建設に力を入れ、パリをモデルに計画的に都市を造営した。ゆえに大連の街は美しくなった。ロシアはダルニーのすぐ近くの旅順《りょじゅん》に強固な要塞を建設、ダルニーと旅順はロシアの遼東半島経営のセットになっていた。

だが、１９０４年に日露戦争がはじまると、日本軍はダルニーを占領、戦後には日本がダルニーの租借権を得る。このとき、日本は「ダルニー」を「大連」と改称している。「ダルニー」に似た音として、「大連」を当てはめたのだ。すでに中国側がダルニーに面した湾を「大連湾」と呼んでいたことにもよろう。

１９４５年、日本が第2次世界大戦に敗北すると、日本は大連を失う。代わって大連を統治したのはソ連だが、1951年に中国に返還している。中国では一時、付近の旅順や金州と合併させ「旅大」としたこともあったが、その後、合併を解消、大連の名に復帰させている。

平城——鮮卑族が4世紀に打ち立てた北魏の都だったが…

中国山西省《さんせい》の大同《だいどう》は、内蒙古《うちもうこ》自治区に近く、北京の西およそ300キロに位置する。西郊にある雲崗《うんこう》の石窟《せっくつ》で知られる街でもあるが、かつては別の名で栄えてもいる。

大同は古代の周王朝の時代から存在し、秦の時代にはこの地に「大同県」が設置されている。ただ、大同のある地は内蒙古自治区に近いことからもわかるように、遊牧民族の進出しやすい地でもあった。そこから、遊牧民族の都にもなっている。

それは、4世紀のことである。当時、モンゴル高原方面から南下し、中国大陸に勢力を伸ばそうとしたのが、鮮卑族である。彼らはもともと大興安嶺《だいこうあんれい》山脈の北方にいたようだ。彼らはしだいに南下し、「北魏」を名乗り、華北支配に乗り出す。3

98年、北魏は大同を都として名を「平城」とした。

こののち4世紀前半、北魏の太武帝《たいぶてい》は華北を統一し、北魏は華北を手中に収める。このときも、華北の都は長安や洛陽ではなく、辺境の平城であったのだ。ただ、北魏の鮮卑族は華北を統治していくにつれ、しだいに中国化していく。5世紀末には、辺境の平城を捨て、洛陽に遷都している。

その後、北魏は分裂し、北斉《ほくせい》や北周などの国になる。北斉はこの地に「太平県」を設置、北周は「雲中県」としている。隋の時代には「雲内県」となって、都名「平城」は消滅してしまった。

ただ、旧名の「大同」はやがて復活する。11世紀、キタイ人の遼帝国がこの地の支配者になったとき、「大同県」を設置し、以後、この地は「大同」の名で呼ばれる時代がつづいたのだ。

消えてしまった都名「平城」については、じつは日本にその名を残している。奈良の都である「平城京」の名は、北魏の都「平城」にならったものという説がある。遣隋使たちは、北魏の「平城」を中国の大きな都と受け止めたからのようだ。

5章 西欧文明と衝突して 消えた東アジア・東南アジアの地名

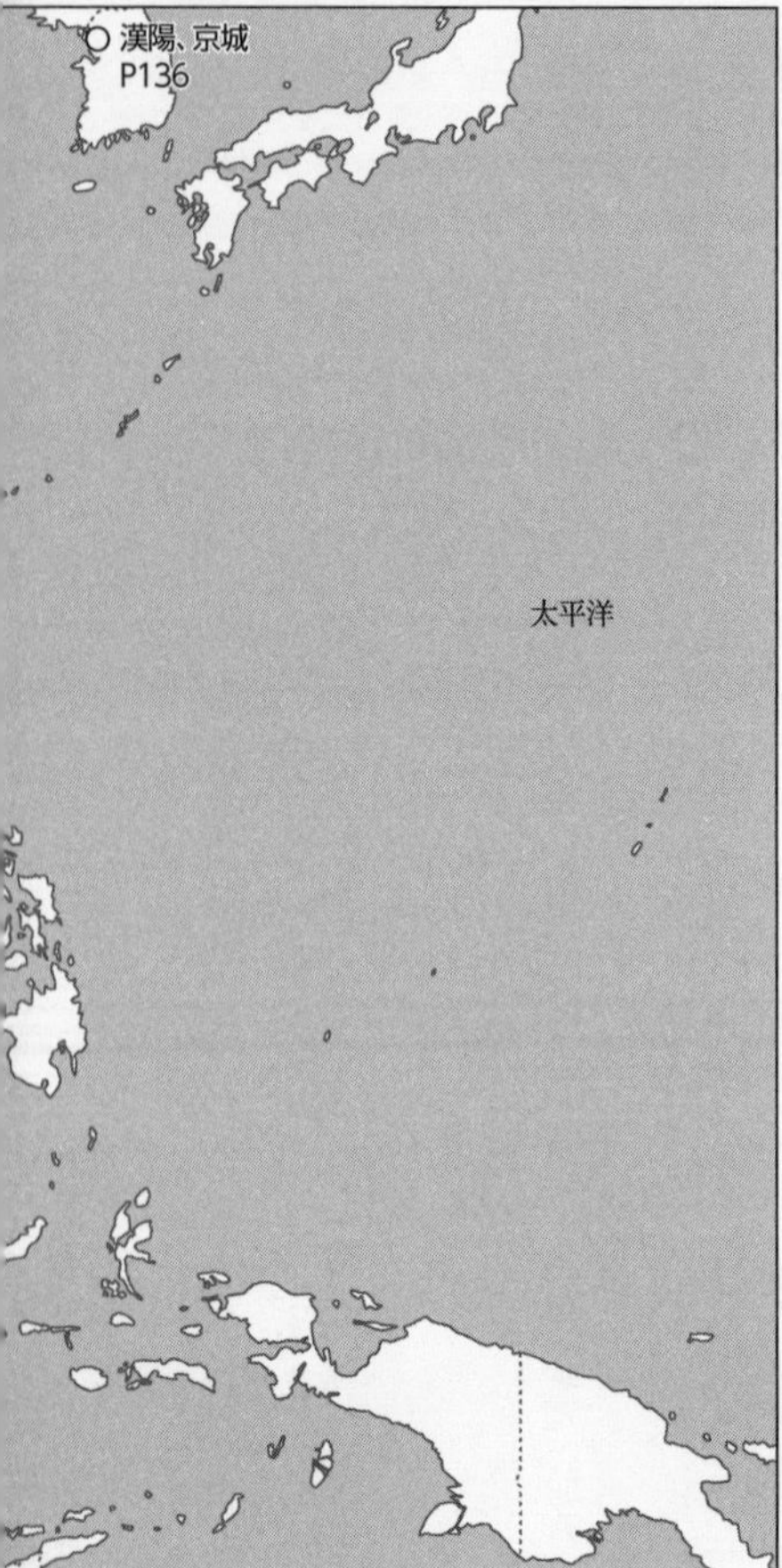

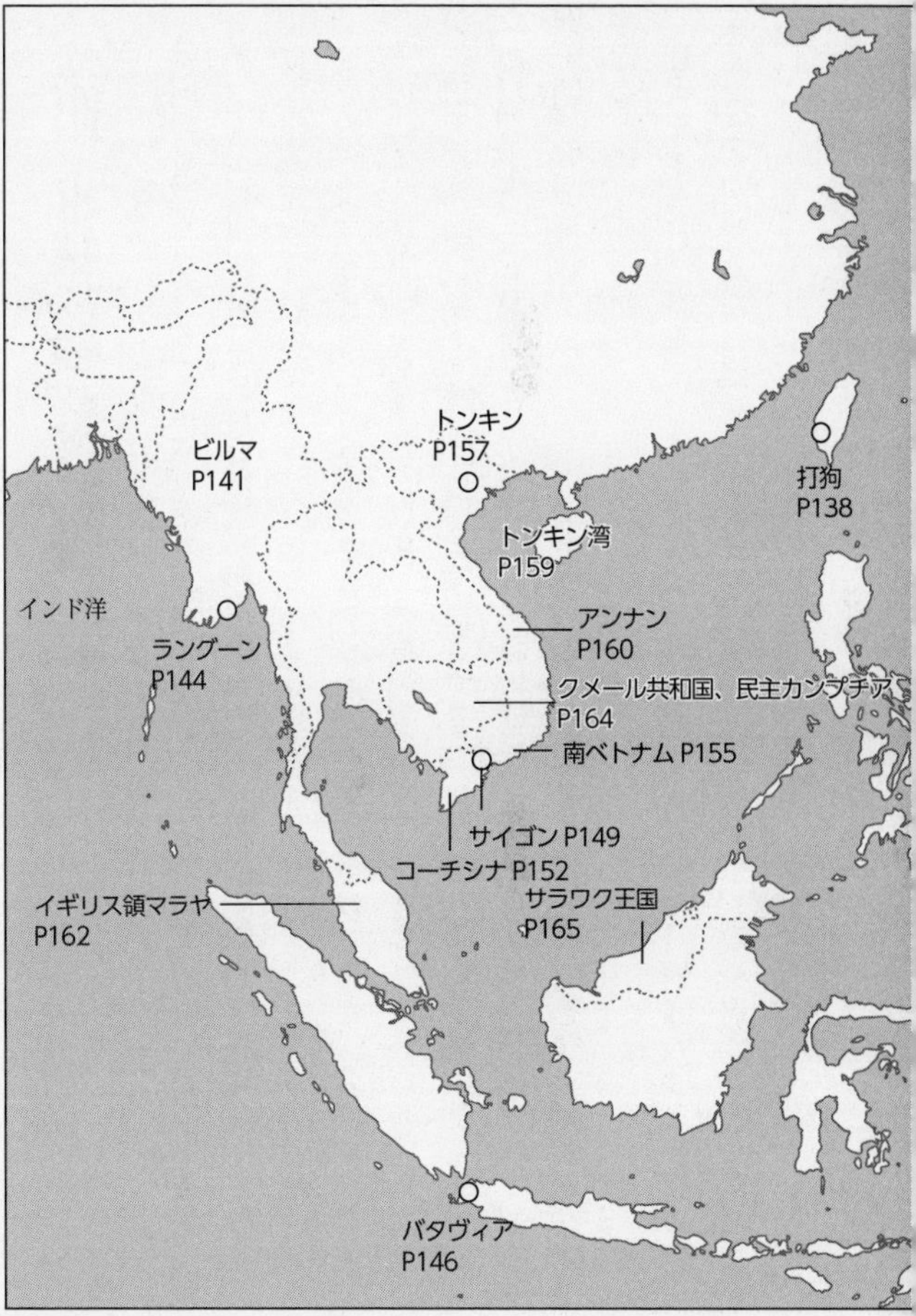

トンキン
P157
ビルマ
P141
打狗
P138
トンキン湾
P159
インド洋
アンナン
P160
ラングーン
P144
クメール共和国、民主カンプチア
P164
南ベトナム P155
サイゴン P149
コーチシナ P152
イギリス領マラヤ
P162
サラワク王国
P165
バタヴィア
P146

漢陽、京城

ソウルへ改名した際、旧来の漢字表記をやめた理由

韓国の首都「ソウル」には、漢字表記がない。「プサン(釜山)」「テグ(大邱)」「インチョン(仁川)」などには漢字表記があるのに、韓国を代表する都市「ソウル」には漢字表記がないのだ。

「ソウル」は、歴史をたどればさまざまな漢字で表記されてきた。新羅《しらぎ》の都であった時代には「漢陽」を名乗り、以後、「楊州」「南京」を名乗っていた時代もあったが、14世紀初頭以後、「漢陽」の名で定着する。漢陽は、李《り》氏朝鮮の都であった。ただ、「漢陽」を名乗っていた時代、つねに朝鮮半島の王朝は、歴代中国王朝や満洲王朝の属国扱いであった。中国王朝や満洲王朝は、朝鮮王朝を独立国家として扱ったことはなかった。

19世紀末、日清《にっしん》戦争によって清帝国が日本に敗北すると、朝鮮の独立を認めざるをえなくなる。新たに誕生した大韓帝国の時代、漢陽は「漢城府」と改められている。こののち1910年、日本が韓国を併合すると、「京城《けいじょう》(京城府)」と名を改めた。

京城には朝鮮総督府が置かれ、日本による朝鮮統治の中心となった。

その後、日本が第2次世界大戦に敗れ、朝鮮半島から退《しりぞ》くと、1946年に「ソウル」と改名された。「ソウル」とは、韓国語で「都」という意味だ。

「ソウル」に漢字表記がないのは、韓国の住人が長い過去の呪縛《じゅばく》と訣別したかったからだろう。

ソウルが漢陽、京城などと名乗っていた時代、韓国は独立国とはいえなかった。中国王朝や満洲王朝、日本に従属させられていた。漢陽、京城は従属の過去を思い起こさせる名であり、漢字を棄てて、「ソウル」と名乗ったのだ。

それは、朝鮮半島がハングル化をはじめた時代と軌《き》を一《いつ》にする。現在、韓国も北朝鮮も言語表記のほとんどはハングルであり、漢字表記はわずかでしかない。ただ、19世紀までは違った。朝鮮半島では漢字表記が圧倒的に多かった。

ハングルは15世紀に、世宗《せそう》によって生み出されたものの、朝鮮半島に長く定着することはなかった。とくに両班《ヤンバン》といわれる支配階級は漢字を好み、ハングルを無視、蔑視《べっし》してきた。近世になってようやく庶民の間で使われはじめ、日本統治時代に普及が進んだが、朝鮮半島に漢字文化があるかぎり、中国や満洲、日本の勢力がはいりこみやすい。

ハングルは、漢字とは完全に異なる世界にある。これまで朝鮮半島を従属させてきた中国、満洲、日本の勢力も漢字ならわかるが、ハングルとなるとほとんど読めない。ハングルを楯《たて》にするなら、中国、満洲、日本の勢力も朝鮮半島には影響をもちにくくなり、朝鮮半島は独立を維持できる。ハングル化にはその狙いがあり、韓国の首都に漢字表記がないのも、その一環である。

「ソウル」については、カタカナのある日本の場合、カタカナで「ソウル」と表記できるから問題ないのだが、中国には漢字しかない。そのため、中国語圏では独自に「ソウル」に「首爾」の名を当てている。「首爾」の音が、「ソウル」の音に近いからだ。

打狗　日本の統治によって改名させられた台湾屈指の大都市・高雄

台湾南部の都市「高雄《たかお》」といえば、台湾屈指の大都市であり、台湾南部の中心地となっている。いまや世界屈指のコンテナ扱い量を誇る港湾都市に成長している。

かつて蒋経国（蒋介石の息子）が独裁を敷いていた時代、民進党は高雄を地盤として成長してきた歴史もある。

その高雄だが、およそ100年前は、その名は台湾には存在しなかった。高雄のあたりは、かつては原住民族によって「ターカウ（タアカウ）」と呼ばれていたようだ。「ターカウ」とは、マカタオ族の言葉では「竹林」を意味する。

その後、17世紀ごろから中国大陸の住人の台湾移住がはじまるようになると、「ターカウ」も漢字表記され、「打狗」の漢字が当てはめられた。打狗は良港であり、19世紀半ば、台湾を支配下に置く清帝国がイギリス相手に開港をよぎなくされたとき、打狗は開港地となっている。

「打狗」の名が台湾から消え去るのは、日本によってである。日本は清相手の日清戦争に勝利し、1895年の下関条約によって清から台湾を割譲《かつじょう》される。以後、1945年まで日本の台湾統治がはじまり、日本は打狗を重視した。

このとき、日本は「打狗」の名を棄てることを決めた。「打狗」とは、「イヌを打つ」という意味であり、下品である。そこで、「ターカウ」の音に合う漢字を探し、「高雄」としたのだ。

日本には、京都の高雄がある。高雄は風光明媚《ふうこうめいび》の地として、日本人に知られ、品のよい漢字名である。日本人は、地名や人名にはめでたい漢字を用いる傾向にある。台湾では、それまで原住民族は「生蕃」などと呼ばれていたが、それは人を卑しめる言葉であるとした。皇太子時代の昭和天皇の意向もあって、台湾の原住民族には「高砂族《たかさご》」の名を当てている。「高砂」は能の一つであり、国と民の繁栄を言《こと》祝《ほ》ぐ象徴でもある。日本人のそうしためでたい漢字好きによって、1920年には打狗は高雄となったのだ。

日本が台湾を統治した時代、「高雄」と対になるように、「打猫」を「民雄」と改名している。現在の嘉義《かぎ》都市圏内の「民雄郷」なのだが、もともとはホアニア族の集落「タアニャウ社」があった。台湾に渡ってきた漢族は、タアニャウに「打猫(ターニャウ)」の漢字を当てていた。

「打猫(猫を打つ)」もまた、「打狗」と同じくらい下品である。そこで、日本は「ターニャウ」の音に「民雄」を当てて、「高雄」と対《つい》にしたのだ。

その後、日本は日米戦争に敗れ、台湾から撤退するが、「高雄」「民雄」の名は残りつづけている。

ビルマ

なぜミャンマーの軍事政権は同じ意味の国名を変えたのか

現在、軍事政権の独裁がつづく「ミャンマー」は、かつては「ビルマ」の名で知られていた。日本では、竹山道雄《たけやまみちお》の小説『ビルマの竪琴《たてごと》』で「ビルマ」の名はよく知られていた。

そのビルマがミャンマーに国名を変えるのは、1988年のことだ。この年、ビルマでは国軍がクーデターを決行し、軍事政権を樹立《じゅりつ》する。これに合わせて、「ビルマ」の名を抹殺《まっさつ》し、国名を「ミャンマー」としたのだ。

じつのところ、「ミャンマー」も「ビルマ」も意味するところは同じで、「強い人」を表す。ならば、「ビルマ」でも「ミャンマー」でもどちらでもよさそうな気もするが、ミャンマーの軍政にとっては「ビルマ」は忌《い》まわしき言葉なのだ。

というのも、「ビルマ」はイギリス式の言葉だったからだ。19世紀の半ば以降、ビルマを植民地化し、統治したのはイギリスだった。

イギリスによるビルマ統治は、ミャンマーで多数を占めるビルマ人にとって、最悪の時代であった。それまでビルマにはコンパウン朝があったが、イギリスは3度の戦争によってコンパウン朝を跡形もなく消し去り、ビルマの住人を徹底的に弾圧した。イギリス兵一人が殺されたとき、イギリス軍は村の住人の半分を殺害して、報復した。

イギリスは狡猾《こうかつ》であり、ビルマの統治のために、インド人や華僑《かきょう》を連れてきて、入植《にゅうしょく》させた。イギリス人は華僑やインド人、ビルマの少数民族にビルマ人たちを統治・監督させた。ビルマ人は、これを耐え忍ぶしかなかった。

イギリスの酷薄《こくはく》は、ビルマの王室への仕打ちが象徴する。コンパウン朝の王と王妃はインドのマドラス（現チェンナイ）に流され、見知らぬその地で朽ち果てた。王室に連なる子女たちは、下層社会に突き落とされた。

ビルマ人にとって、イギリスの統治時代は汚辱《おじょく》であり、彼らはイギリス的なものをすべて自国から消し去りたかった。第2次世界大戦後、ミャンマーはビルマの名で独立を果たすが、それからのちおよそ40年で、「ビルマ」の名をついに追放してしまったのだ。

かつてのイギリスの植民地のほとんどは、現在、イギリス連邦の一員としてある。

植民地時代、イギリスにひどい仕打ちを受けても、イギリス連邦にはいっているのだ。けれども、ミャンマーはイギリス連邦にはいってはいない。この一件だけで、ミャンマーのイギリス嫌いの根深さがわかる。

現在、ミャンマーの軍政は世界から強い批判を受けているが、国内では一定の支持を受けている。それも、一つには軍政の反イギリス、反西欧的な姿勢が評価されているからだろう。

イギリスをはじめ欧米は、民主主義や自由平等を押しつけてくる。けれども、イギリスがミャンマーにしてきたことは、軍事独裁よりもタチの悪い、不平等で、自由を抹殺するものであった。

ミャンマーの住人は、そうした欧米の残虐《ざんぎゃく》を体験してきただけに、西欧の偽善《ぎぜん》を見抜く。自らの国に非道をなした国に、民主主義など押しつけられたくない。そして軍政を批判されるほどに、反欧米に固まり、「ビルマ」を唾棄《だき》する方法に向いてしまうのだ。

今後、ミャンマーの軍政が国際的に非難を浴びるほど、ミャンマーはさらに頑《かたく》なになり、「ミャンマー」という国名にアイデンティティをもつようになるだろう。

ラングーン　かつて日本が占領したかつての首都ヤンゴンのその後

「ビルマ」を「ミャンマー」と改めたミャンマーの軍政は、イギリス式の呼び名を徹底排除してきた。「ビルマ」のみならず、当時の首都「ラングーン」を「ヤンゴン」と改めている。

「ヤンゴン」は、ミャンマーの古い都である。もとは「ダゴン」といい、6世紀末、シェダゴン・パゴダの造営とともに生まれた都市だ。

以後、ダゴンはミャンマー仏教の聖地であり、1755年、アラウンパヤー王朝がダゴンを征服したとき、「ヤンゴン」の名に改められた。「ヤンゴン」とは、「敵が尽きた」という意味で、「戦いの終わり」を意味する。つまり、ヤンゴンはアラウンパヤー王朝の誇りの都でもあった。

そのヤンゴンとミャンマーを征服するのが、イギリスだ。イギリスはヤンゴンを灰塵《かいじん》に帰《き》した挙《あ》げ句、征服し、イギリス式の呼称「ラングーン」に改めたのだ。

「ラングーン」の名は、日本人には馴染《なじ》みのある名だ。第2次世界大戦下、日本軍が東南アジアに侵攻したとき、イギリス軍を追い払い、一時的にラングーンを占領している。この占領を一つの機に、イギリスのミャンマーにおける権威は低下し、ミャンマーは戦後に「ビルマ」の名で独立を果たしている。

また、1983年には「ラングーン事件」の舞台となっている。ラングーンのアウン・サン廟《びょう》を訪れた全斗煥《チョンドゥファン》大統領をはじめ韓国の政治家・高官が、爆弾テロに見舞われた事件だ。北朝鮮による犯行であり、全斗煥は助かったものの、多くの韓国人犠牲者を出している。

エーヤワディー川

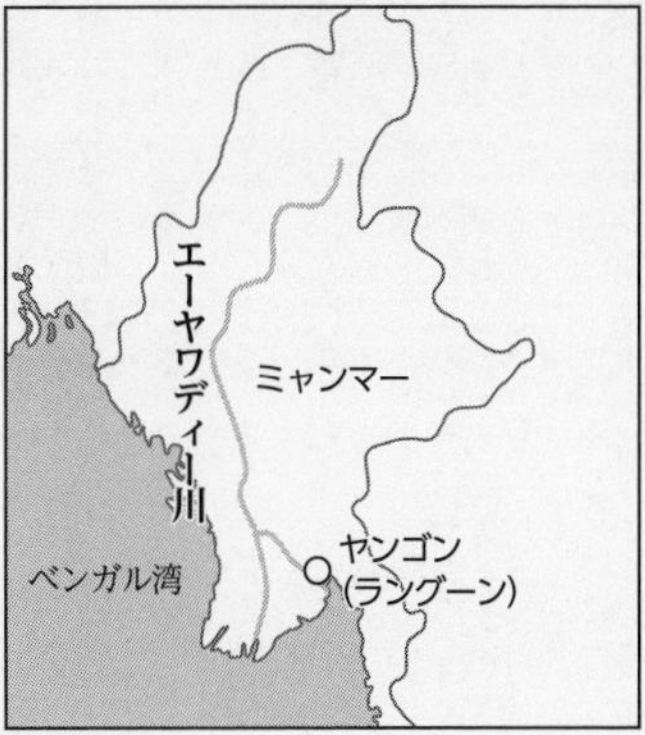

ただ、「ラングーン」の名は、イギリスの統治を嫌悪《けんお》する軍政にとっては、統治時代を想起させるものだった。そのため、1989年に、正式名称を「ヤンゴン」へと復帰させたのだ。

ミャンマー政府の反イギリス姿勢は徹底していて、ヤンゴンを流れる川の名も変えている。イギリス統治時代には「イラワジ川」と呼ばれていた大河が、ミャンマー式の呼称「エーヤワディー川」になったのだ。エーヤワディー川はミャンマーの根幹をなす河川であり、もとはサンスクリット語で「象《ぞう》の川」を意味する。

ラングーン、ヤンゴンはビルマ、ミャンマーの首都であったが、現在は首都の座を新都ネピドーに譲っている。

バタヴィア 現在のジャカルタより長く親しまれたオランダ統治時代の正式名称

インドネシア最大の都市といえば、ジャカルタだ。ジャカルタの名は、日本人もよく知っている。

日本では江戸時代に、ジャカルタのことを、あるいはジャカルタにあるジャワ島のことを「ジャガタラ」の名で呼んでいた。「ジャガイモ」の名の由来も、ジャガタラから渡来したところによる。日本では、「ジャガタライモ」と呼ばれるようになり、それが縮《ちぢ》まったことによる。

ジャカルタは14世紀以来の古い都市名なのだが、じつはジャカルタの名で公式に通っていた時代は、通算して200年くらいしかない。17世紀から20世紀半ばまでは、「バタヴィア」が正式の名であった。

ジャカルタは、14世紀、同地にあったバジャジャラン王国の外港として建設され、当時、「スンザクラバ」と呼ばれていた。その後、バンタム王国がスンザクラバを占領し、ジャカルタに改称した。あるいは、「ジャヤカルタ」「ジャカトラ」とも呼ばれていた。

ただ、17世紀になると、オランダが近くのモルッカ諸島の香辛料を求めて、ジャカルタにもやってくる。インドネシアを植民地化していったオランダは、ジャカルタを交易の拠点として重視した。オランダはここに城砦《じょうさい》を築き、「バタヴィア」と命名した。以後、オランダの統治は20世紀まで長い間つづき、その間、ジャカルタの正式名は「バタヴィア」であった。

「バタヴィア」の名は、オランダの古い呼称である。ヨーロッパの中世、ゲルマン民族が大移動を行なった時代、いまのオランダ一帯にあったのは、ゲルマン民族の一派「バターウィー族」であった。そのオランダの古名をもとに、ジャカルタはオランダの都市として「バタヴィア」に変名させられたのだ。

この時代、世界の数か所に「バタヴィア」があった。オランダ人は植民都市を築くとき、「バタヴィア」の名を付けるのを好み、北アメリカにも「バタヴィア」を誕生させている。

「バタヴィア」の名は、「ジャガタラ」と同じくらい、日本人のよく知るところでもあった。第2次世界大戦下、日本軍が東南アジアに侵攻したとき、オランダの支配するジャワ島にも上陸作戦を行なった。その過程で発生したのが、「バタヴィア沖海戦」だ。

バタヴィア沖海戦では、日本軍のジャワ島征服を阻止すべく、アメリカ、オーストラリア、オランダなどの連合国艦隊が日本海軍と戦っている。日本海軍の巡洋《じゅんよう》艦《かん》、駆逐艦《くちくかん》がアメリカ、オーストラリアの巡洋艦を撃沈《げきちん》し、完勝している。

アメリカ戦艦群を壊滅させた真珠湾作戦、イギリスの戦艦を撃沈したマレー沖海戦につづく日本海軍の勝利であったため、昔の日本人は栄光の名として「バタヴィア」を記憶した。

ジャワ島に上陸した日本軍は、バタヴィアを占領。このとき、バタヴィアの名をもとの「ジャカルタ」に戻している。日本敗戦ののち、インドネシアの独立政府も、ジャカルタの名を「バタヴィア」に戻すことはなかった。インドネシアはオランダと独立戦争を戦わねばならず、オランダ統治色の強い「バタヴィア」の名など御免だったのだ。

サイゴン 消えた地名なのに、いまも川や海、ミュージカルに名を残す

ホーチミンといえば、ベトナム最大の都市であり、首都ハノイを凌《しの》ぐ繁栄を誇っている。ただ、いまだホーチミンの名よりも、古い名「サイゴン」に愛着をもっている人もいるようだ。

「サイゴン」が「ホーチミン」に変わったのは、南ベトナム（ベトナム共和国）の消滅によってである。

それまで、サイゴンは南ベトナム政府の首都であった。北ベトナム（ベトナム共産党政府）が南ベトナム、さらにはアメリカと戦ったベトナム戦争は、アメリカの撤退によって大勢が決する。アメリカの後ろ楯を失った南ベトナム政府は脆《もろ》く、1975年にサイゴンは陥落、南ベトナムは消滅する。北ベトナムによるベトナム統

北ベトナムと南ベトナムの特徴

	北ベトナム（1945〜1976年）	南ベトナム（1954〜1975）
正式名称	ベトナム民主共和国	ベトナム国（1954年〜1955年） ベトナム共和国（1955年〜1975年） ※南ベトナム共和国臨時政府（1969年〜1975年）
首都	ハノイ	サイゴン
国家承認した国	ソ連、中国	アメリカ、フランス、イギリス

一が達成されたのだ。

それは、ベトナムにとって歴史的な栄光の瞬間であった。それまで長いことベトナムは中国王朝に従属を強いられる時代を経験し、モンゴル帝国の脅威にも晒《さら》されてきた。19世紀になると、フランスの植民地となる。第2次世界大戦ののち、フランスの植民地を脱しはしたが、北ベトナム、南ベトナムに分かれるという分裂状態にあった。

その分裂ベトナムが統一され、独立国家となったのだから、ベトナムの住人にとってサイゴン陥落は歴史的事件であった。その偉業を祝して、「サイゴン」は、「ホーチミン」を名乗るようになったのだ。

「ホーチミン」は、ベトナム共産党の指導者「ホー・チ・ミン（胡志明）」の名に由来する。ホー・チ・ミンは朴《ぼく》訥《とつ》な人柄から、「ホーおじさん」と親しまれる存在であった。ベトナムがフランス、アメリカを撤退させていった一連の戦いを粘り強く指導した人物であり、ベトナムの「国父」のような存在である。

サイゴンの改名には、統一を達成した共産党政府が、サイゴンの堕落《だらく》を嫌悪《けんお》した事情も絡んでいよう。サイゴンは、もともと「プレイコール」と呼ばれた村であった。クメール語で「森の土地」を意味し、クメール人の居住する一帯であったのだが、そこにベトナム系のキン人が入植をはじめ、ベトナム語で「ザーディン」とも呼ばれるようになった。この「ザーディン」が変化して、「サイゴン」となる。

サイゴンが大都市に発展するのは、19世紀にベトナムを植民地化したフランスによってである。フランスはサイゴンをフランス風に改造し、洋館を建てていった。そこからサイゴンは「東洋のパリ」とも呼ばれる、こじゃれた都市に変貌《へんぼう》していったのだ。

サイゴンを陥落させた共産党政府は、これに当惑した。サイゴンはあまりに西側の資本主義に染まり、腐敗《ふはい》しているかに見えたのだ。

そこから、サイゴンの社会主義化を望み、清廉《せいれん》・朴訥の指導者「ホー・チ・ミン」の名に改めたのだ。世界各地の共産党政権は、えてして指導者の名を都市名につけたがる傾向にある。ベトナムの共産党政府も、そうだったといえるのだ。新都市「ホーチミン」は、建国の英雄と区別するため、「ホーチミン・シティ」の名で呼ばれている。

だが、ベトナム共産党政府の目論見《もくろみ》は外《はず》れ、ホーチミン・シティは清廉な都市とはならなかった。サイゴン時代を継承し、ベトナム随一の華やかでかつ混沌とした世界都市となっている。

また、ベトナムの共産党政府は、都市名「サイゴン」の名を消滅させても、「サイゴン」の付く地名をすべて消滅させたわけではない。

「サイゴン川」「サイゴン港」といった地名は残っているのだ。さらにミュージカル「ミス・サイゴン」の人気がつづくかぎり、「サイゴン」の名は完全には消滅しないだろう。

コーチシナ ベトナム南部を、旧宗主国のフランスがこの名で呼んだ理由

ホーチミン（サイゴン）を中心とするベトナムの南部は、ひところ「コーチシナ」

とも呼ばれていた。１９４６年から１９４９年にかけては、サイゴンを中心に「コーチシナ共和国」という国も存在していた。

20世紀前半、「コーチシナ」という呼称は世界的に通用していたが、現在、「コーチシナ」という呼び方は消え去り、歴史用語と化しつつある。というのも、「コーチシナ」の呼称が、ベトナムを植民地化したフランスによる便宜的な呼び名であったからだ。

19世紀後半、フランスがベトナムを蚕食《さんしょく》し、植民地化していったとき、「コーチシナ」の名が生まれた。ベトナムを狙ったフランスは、当時のベトナム南部の事情を完全に把握できなかったから、便宜的に「コーチシナ」の名を使うようになったのだ。

「コーチシナ」は、漢字で書くなら「交趾支那」となろう。「交趾」は、ベトナム北部の古い呼び名であり、「支那」は中国のことである。現在のインドシナ半島がイメージ的にインドと中国をくっつけたような名となっているように、フランス人はイメージ的に「交趾」と「支那（中国）」をくっつけ、「コーチシナ」という呼称を発明したのだ。

以後、フランスはベトナム侵食と経営にあたって、「コーチシナ」の名を積極的に用いていく。1858年からフランスはベトナムのグエン（阮）朝に戦争を仕掛け、サイゴンを奪う。

この戦争は、「コーチシナ戦争」と呼ばれた。こののちフランスはサイゴンに「コーチシナ総督府」を置き、ベトナム経営を開始する。コーチシナ総督府のもと、フランス保護領コーチシナがあったのだ。

フランスはベトナムやその周辺での支配領域を拡大し、フランス領インドシナを成立させる。コーチシナはフランス領インドシナの一部となり、第2次世界大戦ののち、フランスは傀儡国家「コーチシナ共和国」を誕生させている。

だが、フランスにかつての力はなかった。1949年、アメリカが後ろ楯となり、サイゴンを首都とした「ベトナム国（のちの通称南ベトナム）」が生まれると、コーチシナ共和国はベトナム国に吸収されてしまった。

結局のところ、「コーチシナ」の名は、19世紀後半から20世紀前半までのおよそ1世紀で消滅するかたちになった。現在のベトナムの住人にとって、「コーチシナ」は過去の話であり、「コーチシナ」の名は世界的に風化していくのみだ。

南ベトナム

アメリカによって生み出され、アメリカに棄てられた国の呼称

ベトナムに関していえば、かつて「南ベトナム」「北ベトナム」という二つの国があった。そのうち「南ベトナム」は１９７０年代に完全消滅し、「北ベトナム」によるベトナム統一が達成される。

「南ベトナム」誕生の背後にあったのは、アメリカだ。アメリカは、フランスによる失敗の後始末をするため、南ベトナムをつくったのだ。

20世紀前半、ベトナムを支配していたのはフランスだが、第2次世界大戦にあって、フランスはドイツに早々と敗退し、ベトナムにおける力まで失ってしまった。にもかかわらず、戦後、フランスはふたたびベトナムを支配しようとし、「コーチシナ共和国」を誕生させたが、失敗。それでもインドシナの再植民地化を望み、これが、ホー・チ・ミンの率いる「ベトナム民主共和国」相手の第1次インドシナ戦争となる。

両者の決戦の舞台となったのが、ベトナム北西部のラオス国境に近いディエンビ

エンフーである。フランスはディエンビエンフーに堅牢《けんろう》な要塞を築き、ここを拠点にホー・チ・ミン勢力の一掃《いっそう》を狙ったが、逆にこの地で完敗を喫《きっ》する。1954年5月のことだ。フランスは同年7月、ジュネーヴ休戦協定によって、インドシナから撤退する。

代わって、ベトナムに深く介入をはじめたのがアメリカだ。アメリカの後押しによって、ゴ・ディン・ジエム大統領の「ベトナム共和国」が成立し、ホー・チ・ミンの「ベトナム民主共和国」に対抗した。

以後、「ベトナム共和国」は「南ベトナム」、「ベトナム民主共和国」は「北ベトナム」と呼ばれ、両国は戦争状態となる。これは第2次インドシナ戦争とも、ベトナム戦争とも呼ばれる。

ベトナム戦争を制したのは、ホー・チ・ミン率いる北ベトナムである。南ベトナムの政権はつねに腐敗しがちであり、アメリカの支援なくしては、立ちいかなかった。そのアメリカが、ベトナム戦争の泥沼にはまってしまうと、厭戦《えんせん》気分にとらわれる。アメリカが南ベトナムを見捨てた瞬間から、南ベトナムは消えゆく道を歩みはじめたのである。

トンキン

かつて「南京」と表記されていたベトナムの首都ハノイ

ベトナムの首都ハノイは、南の大都市サイゴンと違って、古い歴史をもつ都である。ただ、「ハノイ」と名乗るようになったのは、比較的新しく、19世紀になってからのことだ。それまで、ハノイは「トンキン（東京）」「タンロン（昇竜）」などと呼ばれてきた。

ハノイが独立ベトナムの都となるのは、11世紀のことだ。10世紀までベトナムは歴代中国王朝に支配され、唐帝国の時代にはハノイの地に安南《あんなん》都護府が置かれている。10世紀、唐帝国の弱体化を衝いて、ベトナムは独立を果たす。なかでも11世紀に成立した李朝は国号を「大越」として安定政権を築き、この時代にハノイの地を首都とした。このとき首都名を、「タンロン（昇竜）」としたのだ。

以後、タンロンは「トンキン、ドンキン（東京）」、「トンドー（東都）」などとも呼ばれ、ベトナムの中心地として繁栄を誇ってきた。とりわけ、「トンキン」が有名で、日本でもよく知られている。

そのトンキンが「ハノイ」と称するようになるのは、19世紀前半のことだ。グエン朝がフエに都を移したことにより、トンキンは都の地位から陥落する。都でもないのに、漢字名が「東京」では現実に即さない。そこで、「ハノイ（河内）」と改名することになったのだ。

いったん首都の座から陥落しても、ハノイはベトナムの重要な地でありつづけた。ホー・チ・ミンがベトナム民主共和国（北ベトナム）の成立を宣言したのは、ハノイであり、以後、ハノイは北ベトナムの中心地となった。北ベトナムがベトナム全土を統一してのちも、ハノイはベトナムの都として栄えつづけている。

世界には何かのきっかけで旧名に復帰する都市もあるが、ハノイが「トンキン」に戻るかといえば、それはないだろう。というのも、日本の「東京」と混同しそうだからだ。

ハノイが「トンキン」と名乗っていた時代、日本にはまだ「東京」はなかった。けれども、トンキンがハノイを名乗りはじめた19世紀、日本の江戸は東京と名を変え、日本の首都となり、いまやハノイをはるかに凌《しの》ぐ世界都市になっている。ハノイを「トンキン（東京）」に戻しても、日本の「トウキョウ（東京）」と混同されかねないし、「トウキョウ」の前に霞《かす》んでしまいかねない。ならば、ハノイのままであったほうがいいのだ。

それにしても、ハノイの漢字名は「河内」だから、日本人は大阪の河内《かわち》を想起する。日本人の感覚では、東京に対抗しそうな名でもある。

トンキン湾 ベトナム戦争に深く関わる地名が、バクボ湾と呼ばれはじめたワケ

中国南部にある海南島とベトナムの北部に囲まれて広がる湾は、「トンキン湾」と呼ばれてきた。その「トンキン湾」の名が、しだいに消えようとしている。現在、ベトナムでは「バクボ湾」、中国では「北部湾」の名で呼ばれはじめている。

「トンキン湾」は、歴史に名を刻んでいる地名である。ベトナム戦争下の1964年、「トンキン湾事件」が発生したからだ。

「トンキン湾事件」とは、アメリカ軍の艦船がトンキン湾の公海上にあって、北ベトナム軍の艦船に攻撃を受けたとされる事件だ。事件はのちにアメリカ側のでっちあげで、アメリカ軍艦船が北ベトナム領海内に侵入していたことも判明した。が、

ともかくトンキン湾事件を機にアメリカはベトナム戦争に本格的に介入をはじめる。その意味で、トンキン湾はベトナム戦争の歴史を変えた舞台だ。

そのトンキン湾の名が消滅方向に向かおうとしているのは、日本の「東京湾」との混同を防ぐためだ。ベトナムの「トンキン湾」は、漢字では「東京湾」と表記される。ベトナムの都ハノイの旧名は「トンキン（東京）」であり、トンキンに近い湾であるところから、この名がついた。

ベトナムでも中国でも長く「トンキン湾」で通っていたのだが、20世紀になると、日本の「東京湾」は、世界的な港湾に成長する。たしかにトンキン湾も重要な港湾だが、日本の東京湾と比べると、知名度で劣るし、混同が起きるのはまずい。そこで、ベトナムでは「バクボ（北部）湾」、中国では「北部湾」と呼称する流れが生まれているのだ。

アンナン 阿倍仲麻呂漂着で知られていた地名が風化しているのはなぜ？

ベトナムの中部から北部は、かつては「アンナン」とも呼ばれた。あるいは、ベトナムそのものが「安南」とも呼ばれたこともある。ただ、「アンナン」も「安南」も風化し、歴史世界の用語になりつつある。

というのも、「アンナン」「安南」は、ともにベトナムの従属の歴史を物語るものでしかないからだ。「アンナン」も「安南」も、もともとは唐帝国がベトナム北部に「安南都護府」を置いたところに由来する。「安南」は「南を安んじる」、つまり中国王朝の南方を平定・統治するといった意味である。安南都護府は唐のベトナム支配のための出先機関であり、以後、「安南」は中国にとってはベトナムを意味する言葉の一つとなった。

ベトナムも「安南」を国号とすることが多く、中国大陸の皇帝から「安南国王」として冊封《さくほう》されてもいた。そこには、属国ベトナムという意味合いがあった。

日本人でも「安南」の名を知っているのは、ここに阿倍仲麻呂《あべのなかまろ》が漂着したことがあるからだ。阿倍仲麻呂は遣唐使《けんとうし》として唐帝国に派遣された人物であり、唐の皇帝玄宗《げんそう》に長く仕えた。李白《りはく》や王維《おおい》らの文人とも交わり、唐代に名を残したが、彼とて望郷の念やみがたく、帰国船に乗るが、船は難破し、安南に漂着したと伝えられる。

結局、彼は日本に帰国することなく、中国大陸で没する。安南は、仲麻呂の無念の地として日本人には知られるようになったのだ。

19世紀、この「安南」の言葉を継承したのが、フランスである。フランスはベトナムを侵食していくとき、ベトナム北部から中部を「アンナン」と呼ぶようになった。19世紀後半には「フランス領アンナン」を成立させている。

「アンナン」という言葉には、そうしたベトナムの屈従の歴史があった。ベトナムは、そうした屈従の歴史から脱したい。そのため、外国からの呼称である「アンナン」「安南」の言葉は風化しはじめ、ベトナムでは現在は「ミエンチュン(中部地方)」と呼ばれている。

イギリス領マラヤ
消滅に向かっていったイギリス植民地時代の呼称

いまのマレー半島南部は、20世紀の半ばまで「マラヤ」と呼ばれていた。「マラヤ」の名を付けたのは、イギリスである。イギリスはかつてマレー半島南部からシンガポールを支配し、ここを「イギリス領マラヤ」としていたのだ。

イギリス海軍は、「クイーン・エリザベス」級戦艦の一隻に「マラヤ(マレヤ)」

を付けている。イギリス海軍は植民地の地名を艦船に付ける傾向があり、戦艦「マラヤ」もそうだったのだ。

イギリスのマラヤ支配が大きく打ち砕かれるのは、第2次世界大戦によってである。日本軍は南方に侵攻し、マレー半島に上陸、シンガポールを攻略し、イギリス勢力をいったんはマラヤから完全に叩き出してしまった。

日本の敗戦ののち、イギリスはふたたびマラヤに復帰しようとし、イギリスの主導する「マラヤ連合」を形成する。だが、もはやイギリスのかつての威光は失われていた。「マラヤ連合」は解体され、「マラヤ連邦」として独立する。その後、「マラヤ連邦」は、「マレーシア連邦」に名を変える。

マレーシア連邦には現在のマレーシアのみならず、シンガポールが加わったが、両者の関係は良好とはいえなかった。マレーシアではマレー系の住人が重視され、中国系住人は冷遇《れいぐう》されていた。この民族対立によって、中国系の多いシンガポールはマレーシア連邦から追放される。

こうしてシンガポールは、マレーシアと分離した独立国家となった。そのもととなった「マラヤ連邦」の名は、いつしか忘れ去られていったのだ。

クメール共和国、民主カンプチア

混迷と惨劇の20世紀カンボジアを象徴する国名の変遷

カンボジアはいまは「カンボジア王国」を名乗っているが、そこまでには激動の歴史がある。現代カンボジアではたびたび政治体制が変わり、そのたびに国名も変わり、古い名は消されていったのだ。

カンボジアは19世紀にはフランスの植民地となっていたが、1953年にカンボジア王国として独立を果たす。ただ、カンボジアでの王政は、不安定だった。1970年、ロン・ノルのクーデターにより王制は廃止され、「クメール共和国」が誕生する。クメール共和国は、ロン・ノル大統領の軍事独裁政権となった。

そのクメール共和国も、5年で瓦解する。1975年、クメール・ルージュ（カンプチア民族統一戦線）が首都プノンペンを制圧し、ロン・ノルは亡命、クメール共和国は消滅してしまった。代わって成立したのが、「民主カンプチア」である。

「民主カンプチア」は、「民主」とはいいながらも、「クメール共和国」以上の恐怖の独裁国家であった。民主カンプチアを操ったのは、中国の毛沢東による文化大革命の影響を強く受けたポル・ポトである。ポル・ポト主導のもと、カンボジアでは知識人や都会生活者が弾圧され、多くの犠牲者が生まれた。カンボジアは、「キリング・フィールド」と化していた。

その民主カンプチアも、1979年に壊滅する。ベトナム軍がカンボジアに侵攻したからで、以後、カンボジアでの戦乱がつづく。ベトナム軍撤退ののち、UNTAC（国連カンボジア統治機構）の管理を経《へ》て、カンボジアは現在の体制に移行している。

サラワク王国

19～20世紀のボルネオ島北部に100年間も存在した白人の王国

東南アジアにはモンゴロイド系の住人が多いが、じつはかつて白人の王を頂く王国がおよそ100年存在していた。それが、ボルネオ島の北部にあった「サラワク王国」だ。

「サラワク王国」を建国したのは、ジェームズ・ブルックというイギリス人だ。彼はもともとイギリス東インド会社の社員だったが、独立し、船をもち、東南アジアに渡る。

このとき、イギリスのシンガポール総督からの依頼で、カリマンタン（ボルネオ）島北部にあるブルネイのスルタンに書状を届ける仕事を請け負う。彼は、スルタンの王宮に迎え入れられる。ブルネイのスルタンは、ブルックをイギリスの高官か何かと勘違いしたようだ。当時、ブルネイでは先住民の反乱が多発していた。そこで、ブルネイのスルタンはブルックに反乱の鎮圧を依頼した。

ブルックはイギリスの協力を得るとともに、先住民をコントロールし、反乱を押さえ込んだ。ブルネイのスルタンはこれに満足し、ブルックに「サラワク」を与え、「ラージャ（藩王）」とした。ブルックは「白人王」の称号も得て、1846年、ブルックを王とするサラワク王国がブルネイから独立する。

その後、サラワク王国は版図《はんと》を拡大していく。サラワク王国は、かつての主人であるブルネイから土地を奪っていったのだ。こうしてサラワク王国は3代にわたってつづくことになったのだ。

サラワク王国が消滅に向かうのは、1940年代の日米戦争によってである。日本軍はサラワク王国のクチンを占領、ジェームズの孫である白人王ヴァイナー・ブルックはオーストラリアに逃げてしまった。

日本が敗退してのち、ヴァイナーはサラワクの地を放棄《ほうき》する。ヴァイナーは、イギリスにサラワクを売り払ってしまったのだ。その後、マレーシアが独立すると、サラワクはマレーシア領となった。現在は、サラワクはマレーシアの一州であるが、「白人の王国」としての時代もあったのだ。

6章 複雑な宗教・民族の事情で消えた南アジアの地名

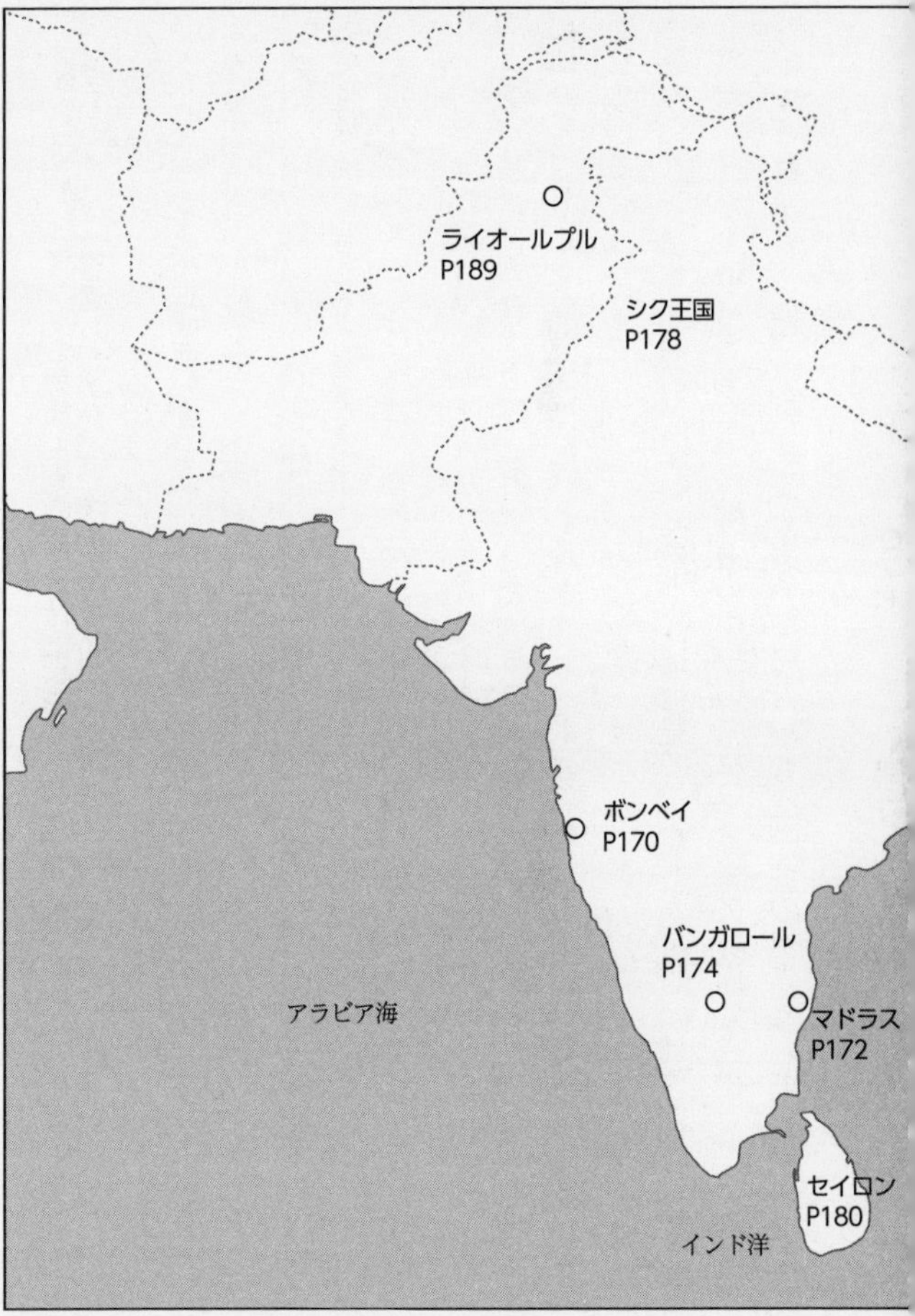

ライオールプル
P189
シク王国
P178
ボンベイ
P170
バンガロール
P174
マドラス
P172
アラビア海
セイロン
P180
インド洋

ボンベイ
インドの民族主義の高まりによって復活した「ムンバイ」の旧名

20世紀末から21世紀にかけて、多くの地名が変わった国といえば、インドである。その地名変更の先駆となったのが、「ムンバイ」だ。

「ムンバイ」はインドの西海岸に位置する大都市であり、これまで「ボンベイ」の名で世界的に有名であった。

その「ボンベイ」の地名が消え去り、「ムンバイ」となった。「ムンバイ」は、「ボンベイ」のもともとの呼称であり、もとに復したのである。

ムンバイは、古代より呼ばれてきたマラティー語の地名である。漁民が信仰する女神の名であり、シヴァ神妃パールヴァティーの異名「ムンバ」に由来するともいわれている。

その「ムンバイ」の名が変わるのは、16世紀、ポルトガル船の到着によってである。ポルトガルは、ヨーロッパ勢力の中でいち早くアジア方面に進出していた。ポルトガルはインドのゴアに拠点を築いてのち、もう一つの拠点としてムンバイを欲した。ポルトガルは現地の君主からムンバイを譲《ゆず》り受け、これを「ボンバイア（良い港）」と呼ぶようになったのだ。

その後、1661年、「ボンバイア」は「ボンベイ」の名に変わる。イギリス王チャールズ2世にポルトガルの王女キャサリンが嫁いだとき、持参金としてボンバイアがポルトガルからイギリスに譲り渡されたからだ。「ボンベイ」は、「ボンバイア」の英語訛《なま》りである。

イギリスはボンベイを手に入れたことにより、ボンベイを一つの拠点としてインドを侵食、さらにはインド洋をわがものにしようとしてきた。ボンベイはイギリスによって世界的な大都市になっていったが、そのイギリスも20世紀にインドから撤退し、ボンベイを手放した。

インドでは、独立しても半世紀近くは「ボンベイ」の名を使ってきた。ただ、インドでも、次第にヒンドゥー至上主義という民族主義が盛り上がるようになる。

旧植民地での民族主義は、えてしてかつての宗主国が付けた地名の否定、旧名復帰につながりやすい。その点で、ミャンマーがもっとも過激なのだが、インドでも次第に熱を帯びるようになった。1995年、ヒンドゥー至上主義の政党が主導し、

「ボンベイ」の名は放棄され、旧名「ムンバイ」に戻ったのである。

ただ、インドから「ボンベイ」の名が消えても、世界的には「ボンベイ」の名は残ろう。「ボンベイ・サファイア」というジンの銘柄がある。イギリスのボンベイ・スピリッツ社が製造・発売しているブランドであり、独特の香りが人気の秘密だ。「ボンベイ・サファイア」の名は、インドの「ボンベイ」に由来する。イギリスの統治下のインドでジンが人気があったことから、イギリスのインド植民地を代表する都市「ボンベイ」の名が冠せられたのだ。さすがに、このジンまで「ムンバイ・サファイア」とはならないだろう。

マドラス 日本ではカレー店の名で有名だが、本場インドでの現名はチェンナイ

インドで消えた地名には、「マドラス」もある。「マドラス」の現在の名は「チェンナイ」だ。あるいは、「センネイ」とも呼ばれる。

「チェンナイ」は、インドの南東部、ベンガル湾に面した地である。この地に「チェンナイ」の名がついたのは、16~17世紀のことだ。この地を守り抜いた領主「チ

エンナッパ」の名を記憶に残すためにという。これが訛って、「チェンナイ」、あるいは「センネイ」と呼ばれるようになった。

イギリスがチェンナイに進出するのは、17世紀前半のことだ。イギリス東インド会社は領主からこの地を買い取ったとき、「マドラス」と命名された。「マドラス」とは、下界の神「マンダ神」にちなむ名であり、この名を与えたのは、マドラスをイギリスに売った領主であった。以後、マドラスはイギリスの海軍基地として発展していった。

「マドラス」が「チェンナイ」の名に変わるのは、1996年のことだ。すでに前年、「ボンベイ」が「ムンバイ」に復帰していたから、その流れに乗ったのだ。「チェンナイ」への復帰の背後にあったのは、民族主義であり、なかでもタミル人の民族主義である。インドの南部にはドラヴィダ系のタミル人が多く、マドラスはタミル人の居住する最大の都市であった。

インドでもっとも多いとされるのは、インド＝アーリア系の住人である。ドラヴィダ系の住人の中には、インド＝アーリア系に敵愾心《てきがいしん》をもつ者もいる。マドラスは反アーリアを掲げるドラヴィダ系の中心地であったのだ。なかでも、ドラヴィダ進歩同盟の地方分権運動がさかんになったことで、マドラスを古い名に戻す動きが加速したのだ。

「チェンナイ」に復帰する5年まえ、1991年にはマドラス南郊のスリペルムブドルで、ラジブ＝ガンジー元首相の爆殺テロ事件があった。犯人はタミル人の過激派であり、それほどにマドラスには過激なドラヴィダ民族主義が強かった。そのドラヴィダ民族主義をなだめるためにも、「チェンナイ」への改名は必要だったようだ。

ただ、インドから「マドラス」や「ボンベイ」の名が消えても、日本ではしばらく「マドラス」「ボンベイ」は残りそうだ。日本全国のカレー屋には、「マドラス」「ボンベイ」の名を冠した店も少なくない。「マドラス」「ボンベイ」は日本人にとって長いことインドやインド料理の象徴であったから店名としてはしばらく残るだろう。

カルカッタ、バンガロール

近代に成長したインドの都市が「コルカタ」「ベンガルール」に変わったワケ

インドにおける植民地時代の地名放棄は、「ボンベイ」「マドラス」のみにとどまらない。ほかに代表的な消えた地名を挙げるなら、「カルカッタ」「バンガロール」

だ。現在、「カルカッタ」の呼称は「コルカタ」に、「バンガロール」の呼び名は「ベンガルール」に改められている。これらは、ともに英語式の呼称から、インド式の呼称への改名である。

「コルカタ」は、西ベンガル地方、ガンジス川デルタ地帯に開けた大都市である。15世紀末から、コルカタには集落が築かれ、17世紀末、この地にイギリス東インド会社が進出する。

その先、イギリスはまずはベンガル地方の侵食にかかった。そのときの拠点が「コルカタ」であり、イギリス式の呼び名では「カルカッタ」であった。1772年から1912年まで、カルカッタはイギリス領インドの首都として栄えた。

「ベンガルール」は、デカン高原に位置する内陸都市である。現在は、「インドのシリコンバレー」といわれるほどハイテク産業がさかんだ。16世紀前半に建設された街であったが、1799年からイギリスが支配者となった。以後、「バンガロール」の呼び名で、南インドの中心地へと発展した。バンガロールはイギリス人の保養地となり、第2次世界大戦にあっては、イギリスはこの地にインド初の航空機工場を建てている。

「カルカッタ」「バンガロール」は、たしかにイギリス支配のもとで発展したが、インドはイギリスより独立してのち、独自の成長を遂げてきた。インドのヒンドゥー民族主義が高まると、英語式の呼び名ではなく、もとのインド式の呼び名に復帰させる熱が高まり、英語式の呼び名を消滅させていったのだ。

アラーハーバード

インドの複雑な宗教事情から失われた「アラー」にまつわる地

地名の変更がつづくインドにあって、近年、改名されたのが「アラーハーバード（アラハバード）」だ。アラーハーバードは「イラーハーバード」とも呼ばれてきたが、2018年に「プラヤーグラージ」に改名が決定された。

それまで「アラーハーバード」は、ヒンドゥー教徒にとってもムスリムにとっても聖地だった。とくにヒンドゥー教徒にとっては古くからの聖地であった。

「アラーハーバード」はその名が付くまえは、「プラヤーガ」と呼ばれてきた。「犠牲を捧《ささ》げる地」という意味であり、紀元前240年に建設され、ヒンドゥー教徒にとって長く特別な巡礼の地であった。

というのも、プラヤーガがガンジス（ガンガー）川とヤムナ（ジャムナ）川の合流点に位置したからだ。日本ではガンジス川は聖なる川であることは知られるが、ヤムナ川もまた聖なる川である。ヤムナ川は、死者を天国に導く女神ともされてきた。ヒンドゥー教の世界では、ガンジス川、ヤムナ川、サラスヴァティー川を「河川の3大女神」としている。その3大女神のうち二つの河川で斎戒沐浴《さいかいもくよく》ができるのだから、プラヤーガはヒンドゥー教徒にとって、すばらしき聖地であったのだ。

ただ、16世紀、プラヤーガは「アラーハーバード」と改名される。改名を命じたのは、ムガル帝国の第3代皇帝アクバルだ。ムガル帝国はインドに登場したイスラム帝国であり、アクバルの時代にインド北部を制し、大国となる。アクバルはプラヤーガの地に要塞を築き、ヒンドスタン平原支配の拠点とした。

プラヤーガからアラーハーバードへの改名は、アクバルらしくないともいえる。アクバルはムスリムでありながら、イスラム教とヒンドゥー教の宥和《ゆうわ》、さらには融合さえも望んでいたからだ。

実際、アクバルは王妃にヒンドゥー教徒の王女を迎え、寛容《かんよう》な宗教政策による和解の世界を目指した。「アラーハーバード」への一方的な改名、聖地「プラヤーガ」

の名の放棄は、アクバルが望んだ世界ではないともいえる。が、アクバルもムスリムである。ヒンドゥー教よりもイスラム教を優先したのである。

以来、プラヤーガは「アラーハーバード」とも「イラーハーバード」とも呼ばれるようになった。「アラー」「イラーハ」はともに「神」を意味し、「アラーハーバード」とは「唯一神アラーの街」という意味だ。つまり、ヒンドゥー教の聖地「プラヤーガ」は、イスラム教のアラーを讃《たた》える街に生まれ変わったのである。

「アラーハーバード」の名が「プラヤーグラージ」に変わったのは、インドにおけるヒンドゥー至上主義によろう。モディ大統領自身がヒンドゥー至上主義を掲《かか》げる中、イスラム色の強い「アラーハーバード」を消し去り、ヒンドゥー教色の強い「プラヤーグラージ」に改名したのである。

シク王国　イギリス軍によって滅ぼされた ターバンと髭のシク教徒の王国

ヒンドゥー教やイスラム教、仏教などが交錯するインド一帯は、宗教の混沌地であり、これまで数々の宗教王国が生まれてきた。その一つに、「シク王国」があった。

「シク王国」とは、シク教徒による国家であり、インド北西部のパンジャーブ地方に19世紀初頭に建国された。シク教とは、ヒンドゥー教の信仰とイスラム教が結びついて生まれたもので、人間の平等を説いた。

シク教徒の特徴は、じつにわかりやすい。頭にターバンを巻き、髭《ひげ》を蓄《たくわ》えている。ターバンに髭というと、日本人はついインド人をイメージしてしまうが、じつはシク教徒の恰好《かっこう》であったのだ。

シク教徒はもともとは平和的な集団であったが、イスラム教を強固に信仰する歴代ムガル帝国皇帝と戦わねばならなかったし、アフガニスタン方面からの侵攻と襲撃に備えねばならなかった。その防衛意識がシク教徒を団結させ、シク王国が生まれたのだ。

ただ、シク王国はおよそ半世紀で瓦解する。インドに侵食していたイギリスと軍事衝突を繰り返したためだ。

19世紀半ば、ムガル帝国は形骸化していき、インドにおけるイギリスの最大の敵はシク王国だったのだ。イギリスはインド支配を完成させるために、シク王国打倒を目指し、2度にわたって「シク戦争」を戦った。結果、1849年、インドでも孤立していたシク王国はイギリスに屈し、消滅してしまったのだ。

こうしてシク王国は滅びたものの、シク教徒までが滅亡したわけではない。シク教徒はインドのみならず、アジア各地にもわたっている。

セイロン
紅茶で有名なあの島名はなぜ国名から外されたのか

「スリランカ」といえば、インド洋に浮かぶ島国だ。そのメインとなる島はセイロン島であり、その国名はかつては「セイロン」と呼ばれていた。けれども、1972年、国名を「スリランカ共和国」に変更、1978年には現国名「スリランカ民主主義共和国」としている。

「スリランカ」の国名は、同国で多数派を占める住人シンハラ人の言語シンハラ語に由来するといわれる。「ランカ」はもともとセイロン島の異称であり、「スリ」はシンハラ語で「高貴な」という意味合いがある。

ただ、「スリランカ」は世界的には聞き慣れない名だ。世界的に「セイロンティ」が親しまれていることを考えるなら、「セイロン」の国名でも問題ないはずだ。だが、セイロンの政府は知名度のある「セイロン」の名を棄《す》て、わざわざ知名度に乏《とぼ》しい「スリランカ」を選んだのだ。

そこには、島の多数派を占めるシンハラ人の民族意識の噴出があると考えられる。スリランカはシンハラ人を中心とする多民族国家なのだが、じつは人為的に多民族にさせられた歴史がある。

もともと、セイロン島には多数のシンハラ人がいて、少数ながらタミル人が住み、彼らはまがりなりにも共存してきた。ただ、19世紀、セイロンを植民地化したイギリスは、茶の栽培を拡大するため、南インドにいた多くのタミル人をセイロン島に強制移住させ、労働力とした。以後、タミル人は急激に増え、シンハラ人とタミル人の人口バランスが崩れた。これにより、両者の対立が水面下ではじまるようになった。

セイロンがイギリスの植民地統治下にあった時代、あからさまな民族対立は押さえ込まれていた。けれども、第2次世界大戦ののち、イギリスがセイロンの独立を認めると、民族対立を抑制する力はなくなる。

セイロンのような新興国家は、国家のアイデンティティにえてして民族を求めがちだ。セイロンでは、多数派のシンハラ人の政府が「シンハラ・オンリー政策」を進めてきた。政府はタミル人の選挙権を剝奪《はくだつ》、公務員からも排除してきた。その過程で、国名をシンハラ語の「スリランカ」へと変更したのだ。

「スリランカ」と国名が変更されたセイロン島で待っていたのは、深刻な内戦である。シンハラ人至上主義に対して少数派のタミル人がつぎつぎと反乱を起こし、大統領が暗殺されるという事件さえも起きた。

現在のところ、中国の介入もあって、スリランカの内戦は終結しているが、民族対立の火種が消えたわけではない。しかも、スリランカは中国によって借金漬けにされてしまっている。「スリランカ」の国名は、いまのところスリランカをまとめ、調和に向かわせる力を有していないように映る。

シッキム王国 300年間も存続しながら、ついにインドに吸収された**ヒマラヤ**の秘境王国

いまからおよそ半世紀近くまえ、1974年までヒマラヤの山岳地帯には一つの国があった。「シッキム王国」であり、シッキム・ヒマラヤといわれる山岳地帯に

あった秘境の小王国である。

「シッキム王国」は、小国とはいえ、1642年以来、チベット系の仏教王国として300年以上もつづいてきた。けれども、20世紀の後半には「王国」は消え去ってしまったのだ。

シッキム王国は、ネパールとブータンの間に位置し、北では中国、チベットと接する。南ではインドと接している。中国、インド、チベットは大国であり、シッキムからすれば、ネパールとブータンさえも大きな国である。そんな国が300年間もつづいてきたのは、チベット交易で栄えてきたとともに、大国の勢力均衡の間でなんとか泳いでいくことができたからだ。

シッキム王国の歴史は、領土喪失の歴史でもある。シッキム王国は当初、消滅時よりもずっと大きな国であったが、ネパールの度重なる侵攻によって、領土をつぎつぎと失ってしまった。

19世紀、そのネパールに対抗するため、シッキム王国が頼ったのがイギリス領と化していたインドである。シッキムはイギリスと組むことでネパールを押しとどめることに成功し、一時は紅茶で名高いダージリン地方も得た。ただ、結局のところ、

シッキム王国の歴史

時代	出来事
1642年	プンツォ・ナムゲルが建国
1706年	ブータンにカリンポン一帯を割譲
1788～1789年	ネパール軍が首都ラプデンツェを急襲。ティタム川西岸をネパールに征服される
18世紀初頭	イギリスは、ネパールをシッキム王国との共通の敵とみなす。イギリス東インド会社がネパールに侵攻ののち、ダージリンなどを含むティタム川西岸がイギリスから譲渡されたが、イギリスの保護国となる
1839年	ダージリンを補償金35,000ルピーでイギリスに割譲させられる
1841年	イギリスが第1回目の補償金を支払う
1849年	イギリス人2名を逮捕したツグプ王への報復により、補償金は打ち切られる。タライ地方の大ランジット川とランマン川以南のシッキム領を、イギリスに没収される
1890年	イギリスと清の間で、シッキム王国はイギリスの保護国であることが確認される
1950年	正式にインドの保護領となる
1975年	王朝滅亡。インドの第22番目の州となる

シッキムはイギリス頼りとなる。シッキムはイギリスの保護国となったうえ、ダージリンもイギリスに割譲されることになった。

シッキム王国のイギリスへの接近、属国化は、北のチベットや清王朝を警戒させるところとなる。シッキムはチベットから圧力を受けるほど、イギリスを頼るしかなかった。

20世紀、第2次世界大戦が終わると、イギリスはインドから去る。シッキムは、1950年に独立インドの保護領となった。インドのネール首相は、小国シッキムに同情的であった。

その一方、シッキム王国のインドへの強い傾斜は、王国の住人にインドへの反感や王室への不信を強めてもいた。王室も反インドに舵《かじ》を取らざるをえず、王子はアメリカ人女性を妻に迎え、アメリカと結びつこうとさえした。それも、国民の反感を買うだけだった。

シッキム王国の政情は、1970年になると完全に不安定になる。1975年、シッキムでは王の退位を求めるデモが発生、そこにインド軍が侵攻、シッキムの警備隊を数十分で鎮圧《ちんあつ》してしまった。インドの後押しにより、シッキムでは王制廃止が議決され、国民投票でインドへの併合が決定された。これにより、シッキム王国は滅亡した。

現在、シッキムは「シッキム州」としてインドの一つの州になっている。

ムスタン王国

保護者であったネパールの共産化によって消えた「禁断の王国」

ヒマラヤから消えてしまったのは、「シッキム王国」だけではない。21世紀初頭まで、もう一つ「ムスタン」という王国があった。「ムスタン王国」は、ネパールとチベットに挟まれた小さな王国であった。長く外国人の立ち入りを禁じていたため、「禁断の王国」という異称もあった。チベット系のロッパ族の王国であったところから、「ロ王国」とも呼ばれてきた。

ムスタンは世界ではほとんど知られることのない、秘境の王国であった。「ムスタン王国」は14世紀に創建され、住人はチベット語を話し、チベット仏教を信仰していた。

「ムスタン」の名は、ある程度年配の日本人ならその名を記憶しているかもしれない。かつて1990年代、NHKが同国を取材し、ドキュメンタリー番組を制作、反響を呼んだことがあるからだ。その後、NHKのムスタン王国でのやらせが発覚し、さらにムスタンの名は日本人に刻まれた。

ムスタンが消滅に向かうのは、チベット情勢の変化にも起因する。ムスタンは、住人がチベット仏教を信仰しているように、チベットと関係が深かった。チベットは清帝国に属していた時代があったとはいえ、清に直接統治されることはなく、長く一つの国家としてありつづけてきた。

けれども、20世紀半ば、毛沢東《もうたくとう》の中国はチベットを強制的に併呑《へいどん》し、中国化を進めた。中国は、チベット仏教を弾圧さえもした。そのため、以後、ムスタン王国は中国化を強いられはじめたチベットとは距離を置き、ネパールの影響下にはいっていく。ムスタン王国はネパールに属するような形をとりながら、王室の存続はゆるされ、高度な自治権も与えられてきた。

ムスタン王国の保護者となったネパールだが、そのネパールも変質する。ネパールは長い間王国であったが、ネパール共産党の力が強くなり、2008年に王制を廃止してしまったのだ。

ネパール本国が王制を廃止したのだから、属国であるムスタン王国の王制も残すわけにはいかない。そのため、ムスタンの王制は廃止され、ついにムスタン王国は消滅、ムスタンはネパールの一つの郡となったのだ。

東パキスタン

パキスタンの飛び地はなぜ戦争の末、独立したのか？

パキスタンといえば、インドの西方に位置する、インドのライバル国だ。そのパキスタンだが、かつては二つの「パキスタン」が存在した。いまの「パキスタン」は、いわば「西パキスタン」である。

一方、インドの東、東ベンガルには「東パキスタン」があった。東パキスタンはおよそ50年まえに消滅し、代わっていまの「バングラデシュ」となっている。

東パキスタンが生まれたのは、インドのイギリス支配が終わりを迎えたためである。19世紀以降、インド一帯を支配していたのはイギリスだったが、イギリスは第2次世界大戦で疲弊し、インドを放棄せざるをえなくなった。

当時の大インドが独立に向かうとき、宗教の違いによって大きく二つに分かれてしまった。インドの中のヒンドゥー教地域は「インド」として独立、イスラム教地域は「パキスタン」となったのだ。

ただ、大インドのイスラム教地域はいまのパキスタンと、もう一つ東ベンガルにもあった。そのため、１９５５年、東ベンガルは「東パキスタン」となり、パキスタン（西パキスタン）の飛び地のような存在になったのだ。

その後、パキスタン（西パキスタン）と「東パキスタン」の関係は悪化していく。同じイスラム教国とはいえ、インドを挟んで距離が大きく離れているから、意思疎通が取りにくい。しかもパキスタン（西パキスタン）がウルドゥー語を話すのに対して、東パキスタンではベンガル語だから、ますます意思は通じにくい。さらに西のパキスタンが西優先の政策をとるものだから、東パキスタンは西のパキスタンと決裂していく。

1971年、東パキスタンでは独立を求めての戦いをはじめる。このとき、パキスタンのライバルであるインドが東パキスタンに味方したから、西のパキスタンの敗北に終わった。

この第3次印パ戦争によって、東パキスタンの分離が決まり、東パキスタンは「バングラデシュ」として独立したのだ。バングラデシュは、ベンガル語で「ベンガル人の国」という意味である。

ライオールプル
パキスタン第3の都市がサウジ国王の名にちなむ名に変わった理由

カラチ、イスラマバードにつづくパキスタン第3の都市といえば、ファイサラーバードだ。「ハイサラーバード」とも呼ばれる都市なのだが、この名は新しい。1

979年に新たにつけられた名であり、それまでは「ライオールプル（リャルプル）」の名で呼ばれてきた。

「ファイサラーバード」、つまり旧名「ライオールプル」は、ライオールプル時代に建設され、発展してきた都市である。ライオールプルを建設したのは、サー・ジェームズ・ライアルというイギリス人である。

19世紀末、パキスタンはイギリス領インドの一部であり、ライアルはパンジャブ総督として、統治のため新しい都市の建設にかかった。都市の道路はイギリスの国旗そっくりに張り巡らされ、ライアルの名を記念して「ライオールプル」と呼ばれるようになった。

その「ライオールプル」の名が消されたのは、パキスタンとサウジアラビアの接近による。イギリスから独立を果たしたパキスタンだが、宿敵インド相手に消耗し、経済的にも困窮《こんきゅう》がつづいた。加えて、パキスタンは孤立しがちな国だった。そこに援助の手を差し伸べたのが、サウジアラビアのファイサル国王であった。

もともとパキスタンはサウジアラビアの石油に依存していたし、サウジアラビアに出稼ぎに行くパキスタン人労働者が多かった。サウジアラビアを頼りにしていたところに、金満国サウジアラビアからの経済援助である。

サウジアラビアからすれば、いざというときパキスタンの軍事力をアテにしての援助と思われるが、パキスタンはファイサル国王の援助に感謝した。そこで、「ライオールプル」の名を消滅させ、「ファイサル」の名を記念する「ファイサラーバード」に改めたのだ。

パキスタンからすれば、「ライオールプル」の名は植民地時代を思わせる地名でしかない。ファイサル王からの支援は、「ライオールプル」の名を棄て去るちょうどいい機会でもあったのだ。

7章 植民地支配からの脱却で消えたアフリカの地名

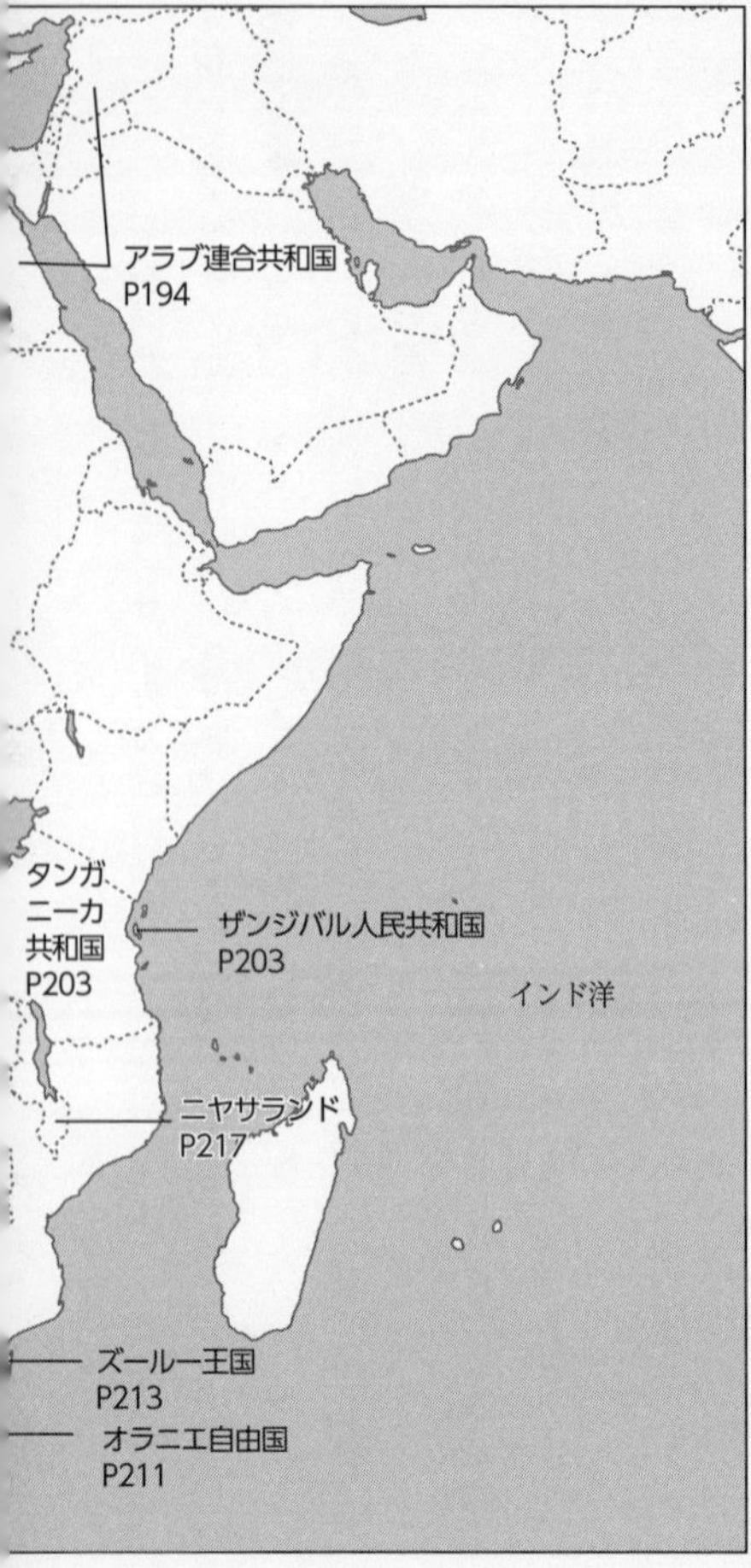

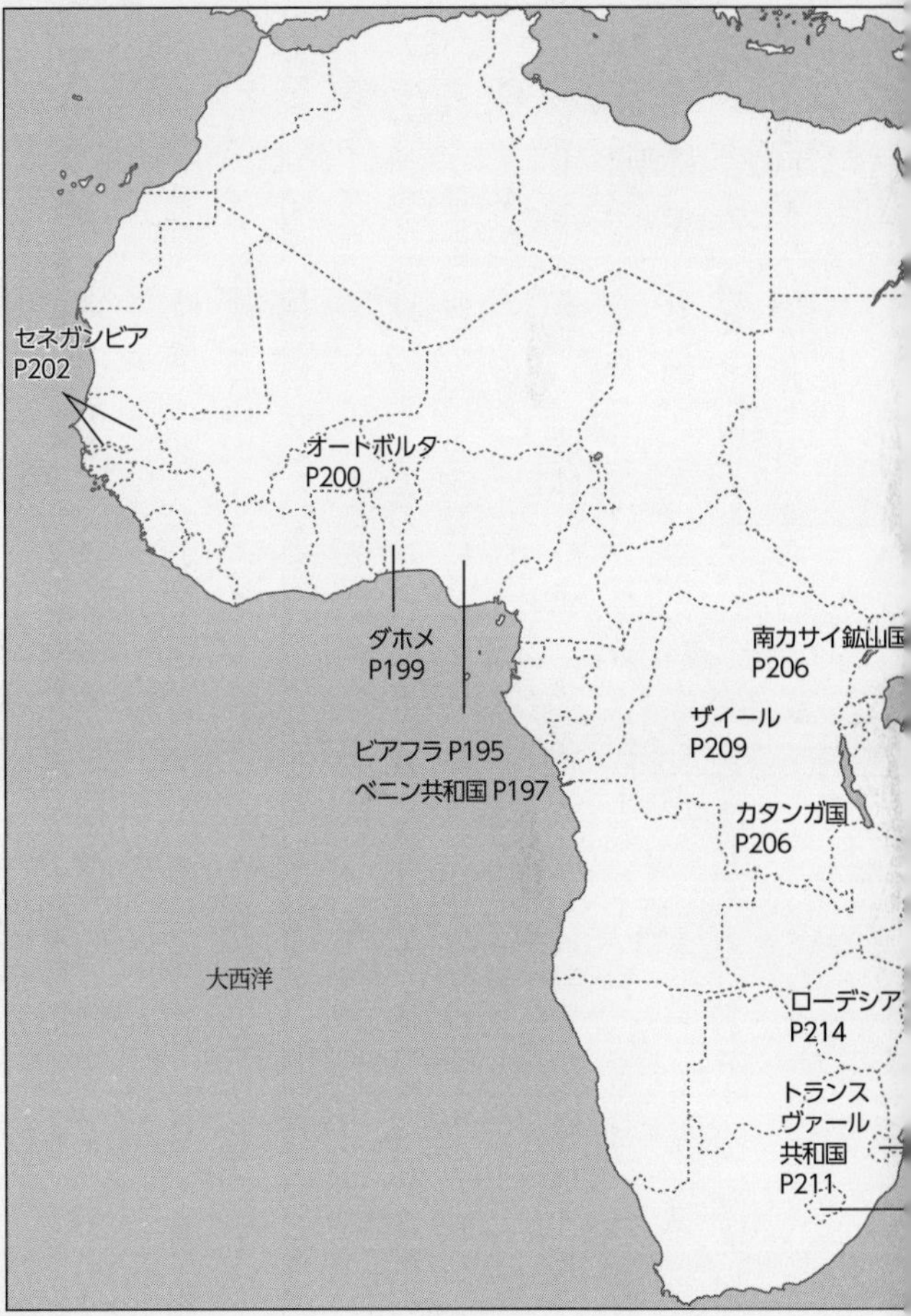

セネガンビア
P202
オートボルタ
P200
ダホメ
P199
ビアフラ P195
ベニン共和国 P197
南カサイ鉱山国
P206
ザイール
P209
カタンガ国
P206
大西洋
ローデシア
P214
トランス
ヴァール
共和国
P211

アラブ連合共和国

アラブ民族主義の高揚によって実現したエジプトとシリアの合併の末路

20世紀後半の一時期、エジプトから中東の一部で成立した国家が「アラブ連合共和国」だ。アラブ連合共和国は、エジプトとシリアが合併して生まれた国だ。エジプトとシリアは、国境を接していない。にもかかわらず、1958年にアラブ連合共和国として一つの国になったのだ。

アラブ連合共和国が誕生したのは、アラブ民族主義の高揚によってだ。19世紀以降、アラブ世界は西洋諸国の攻勢にさらされ、アラブの住人は自信を失っていた。そこに1948年、パレスチナの地にイスラエルが建国される。アラブ諸国はイスラエルと中東戦争を戦い、敗れもした。

そんな自信喪失の中、アラブ世界は焦《あせ》り、民族主義によって、団結しようともしていた。そこに現れたのが、エジプトのナセルである。ナセルはエジプトで革命を敢行、イギリスと結託した国王を追放した。ナセルはアメリカとイギリスに対抗し、スエズ運河会社の国有化を宣言する。

これがもとで「スエズ動乱（第2次中東戦争）」に発展するが、ナセルは英仏、イスラエルを相手にスエズ動乱を乗り切ってみせる。この瞬間、ナセルはエジプトのリーダーのみならず、アラブ世界のリーダーに目されていた。

ナセルはアラブ民族主義を掲げ、アラブ民族国家の建設を提唱した。これに共鳴《きょうめい》したのが、シリアのバース党である。ナセルのエジプトとシリアは接近し、「アラブ連合共和国」が誕生する。大統領にはナセルが就任、イエメン王国（北イエメン）も連合に加わった。だが、アラブ連合はすぐに行き詰まり、1961年に瓦解《がかい》、解消となる。エジプト主導のあり方に、シリアが反感をもつようになったのだ。

しかも、アラブ連合のエジプトとシリアに挟まれたヨルダンがアラブ連合に反発、アメリカ、イスラエルの支援を求めていた。アラブ連合はアラブ世界で全面支持を受けたわけでもなく、空中分解してしまったのだ。

ビアフラ 飢餓の悲惨なイメージを払拭するために消された地名

ナイジェリアの南東部には、かつて「ビアフラ」という地名があった。現在、リバー、アクワイボム、アビアなどの7州にわたる地域であるが、「ビアフラ」の名は消滅している。というのも、かつてここに「ビアフラ共和国」が樹立《じゅりつ》され、これがもとで「ビアフラ戦争」に発展した過去があるからだ。ビアフラ戦争はナイジェリアに大きなダメージを与えたうえ、国際的にナイジェリアのイメージを悪くした。ゆえに、「ビアフラ」は消された地名となっている。

ビアフラ共和国の樹立、ビアフラ戦争は、ナイジェリアの部族対立による。1960年にイギリスから独立したナイジェリアには、おもに3つの部族があり、3つの地域に分かれていた。ビアフラにはキリスト教徒のイボ人の地域があり、ほかにキリスト教徒のヨルバ人の地域、イスラム教徒のフラニ人の地域があった。

なかでも、ビアフラのイボ人はイギリス統治時代から西洋文化に馴染み、教育水準も国内では高かった。また、この地域に油田があったことも、ナイジェリアにおけるイボ人の優位につながっていた。イボ人はナイジェリアの政権の中枢《ちゆうすう》にもあったが、これに反発したのが他の部族だ。

1966年、イボ人の政権はクーデターによって倒される。新政権はイボ人に暴力を加え、虐殺《ぎやくさつ》がはじまった。これに対して、1967年、イボ人側は「ビアフラ共和国」の樹立を宣言、ナイジェリア軍と交戦状態になった。これが、ナイジェリア内戦でもある「ビアフラ戦争」だ。

ビアフラ戦争は凄惨《せいさん》な殺戮《さつりく》の応酬となるが、最後にはナイジェリア軍が勝利する。ナイジェリアがビアフラの四方を徹底封鎖し、ビアフラに食糧がはいらないようにしたからだ。ビアフラでは深刻な飢餓《きが》が広がり、多くの餓死者を出した。これは「ビアフラの悲劇」として世界に広がるが、ビアフラ共和国は消滅させられ、「ビアフラ」の名もナイジェリアからは消された。

ナイジェリアには、それまで「ビアフラ湾」という名の湾があった。このビアフラ湾の名も、「ボニー湾」と改められている。

すでにビアフラ戦争から半世紀以上を経た現在、世界では「ビアフラの悲劇」を記憶している人も少なくなっている。「ビアフラ」の名は、風化しつつある。

ベニン共和国 ビアフラ戦争のさなか、たった1日で消滅した国

1960年代のナイジェリアで起きたビアフラ戦争下で生まれたのは、「ビアフ

ラ共和国」のみではない。「ベニン（ベナン）共和国」が、ほんのわずかの期間ながら誕生している。

「ベニン共和国」を生んだのは、ビアフラ共和国だ。１９６７年、ビアフラ軍がベニンシティを占領すると、ベニン共和国としたのだ。

ベニン共和国の名は、かつてこの地にあった「ベニン王国」に由来する。ベニン王国は12世紀にエド人によって建国され、15世紀に全盛期を築いたのち、19世紀後半、イギリスによって滅ぼされている。イギリスはベニン王国征服と同時に、ベニンの美術品の大量略奪まで行なっている。

ビアフラ共和国は、かつての栄光を求め、「ベニン」の名を冠した共和国を樹立したのだが、一瞬の話である。ベニンシティは、1日にしてナイジェリア軍に奪回される。そのため、「ベニン共和国」は、わずか1日の命であったのだ。

また、ナイジェリアのベニン湾はギニア湾の一部をなすが、ベニン湾はかつて「奴隷海岸」と呼ばれた地域である。16世紀初頭以来、ヨーロッパ勢力はベニン湾に到着しては、この地でアフリカ人奴隷を買い求めていた。そこから、ヨーロッパでは ベニン海岸は「奴隷海岸」と呼ばれていたのだ。その「奴隷海岸」の名も、いまは消えている。

ダホメ　ベナン共和国成立で、国名とともに棄てられた恥辱の歴史とは？

ギニア湾に面し、ナイジェリアの西に位置する国が「ベナン共和国」だ。「ベナン共和国」の由来は、先に紹介した、ナイジェリアにかつて栄えた「ベニン王国」だ。その栄光にあやかり、ベナンの名を国に冠したのだ。

ちなみに、「ベナン共和国」の「ベナン」、「ベニン王国」の「ベニン」は、ともにアルファベットでは「Benin」だ。「Benin」の英語読みが「ベニン」、フランス語読みが「ベナン」となる。ナイジェリアはイギリスの植民地とされたので、この地にあった王国はベニン王国と呼ばれるようになった。一方、ベナン共和国はフランスに統治された時代があったから、フランス語圏化し、この地では「ベナン」と発音するのだ。

ベナン共和国には、かつては別の名があった。17世紀から19世紀にかけて、この地にあったのは、「ダホメ（ダホメー）王国」である。ダホメ王国はフォン族たちが築いた国であり、奴隷交易によって成り立っていた。ダホメ王国はヨーロッパ人から火器を買い取り、これを武器に近隣部族を制圧した。征服した部族の黒人たちをヨーロッパ人に売りつけ、奴隷貿易王国として栄えていた。

だが、ダホメ王国は19世紀末、フランスに攻略されて、滅亡する。以後、フランス領ダホメとなり、1960年、「ダホメ共和国」として独立した。ダホメ共和国は1970年代にクーデターを体験、「ベナン人民共和国」という社会主義国に変身している。その後、1989年に社会主義を放棄し、現在のベナン共和国となる。

ベナン共和国が、「ダホメ」の名を棄て、わざわざ、自国でない、隣のナイジェリアにあった王国の名を選んだのは、ダホメの名を恥としたからだろう。ダホメ王国は奴隷交易で栄えた国であり、ダホメの名は恥辱《ちじょく》の歴史を思い出させるものだったのだ。

オートボルタ
国名が地味だから棄てられた?!ブルキナファソに改名した真相とは

ブルキナファソは、ガーナの北に位置する西アフリカの内陸国である。かつてはフランスの植民地だったが、１９６０年に独立を果たしている。このときの国名は「オートボルタ」であった。１９８４年、「オートボルタ」の国名から「ブルキナファソ」と改め、いまに至っている。

「ブルキナファソ」とは、「高潔な人の国」という意味であり、歴史的な背景に基づくものではない。では、なぜ「オートボルタ」の名を棄てたかというと、あまりに地味であり、かつフランス植民地時代を思わせる名だったからだろう。

「オートボルタ」とは、フランス語でヴォルタ川の上流を意味する。ブルキナファソがヴォルタ川上流にあったから、付けた名だ。

オートボルタがフランス領にされた19世紀後半、フランスはアフリカ西部にフランス領西アフリカを形成していた。モーリタニア、セネガル、ギニア、コートジボワール、ダホメ（現ベナン）などで、オートボルタは広大なフランス領西アフリカの一地方の呼称にすぎなかったのだ。

「オートボルタ」の名は、地域名としては問題ないだろうが、国名とするにはあまりに地味であった。ゆえに、ブルキナファソは「オートボルタ」を消し去ったのである。

セネガンビア

かつて存在したセネガルとガンビアの連合国家は、なぜ消えた?

西アフリカのセネガル、ガンビアは、それぞれ独立国であるが、かつては連合国家を築いていた時代がある。両国の名を取った「セネガンビア国家連合」であったが、10年も経ずして解体している。

実際のところ、セネガルとガンビアは密接な国である。セネガルはガンビアの三方を取り巻くように存在し、ガンビアと陸つづきの国はセネガルのみとなっている。

両者が分離していくのは、イギリスとフランスの植民地争いの結果である。フランスとイギリスがこの地にたどり着いたのは16世紀のことであり、ともに植民地獲得に乗り出す。フランスはセネガル川流域、イギリスはガンビア川流域を勢力圏とする。いったんイギリスがフランスを追い払い、「セネガンビア」を形成したこともあったが、フランスも逆襲に出て、イギリス領ガンビアとフランス領セネガルが形づくられていった。

1960年代、セネガル、ガンビアはそれぞれ独立する。セネガルの場合、マリとともに独立を果たし、「マリ連邦」にあったが、すぐに連邦を出て、セネガル共和国として独立している。

両国は同じ地域にあったから、経済の一体化を求める声がそれぞれにあった。ガンビアでクーデターが発生したとき、セネガル軍が急行して、クーデターを鎮圧した事件もあるほどに、両国は密であった。そこから1981年に「セネガンビア国家連合」を形成したのだが、1989年には解消となってしまったのだ。

解消の原因の一つは、言語にあった。ガンビアはイギリス領となったため、住人は英語の話者である。一方、セネガルはフランスに属していたから、住人はフランス語を話す。さすがに英語とフランス語では話が通じず、統合は失敗したのである。植民地支配の悲劇である。

ザンジバル人民共和国、タンガニーカ共和国

タンザニアを形成した二つの共和国の歴史とは

アフリカ中東部に位置するタンザニアは、じつは合併国家である。そのため、過去にあった国名を消し去っている。

タンザニアは、「タンガニーカ共和国」と「ザンジバル人民共和国」の合併によって誕生している。両国の名の一部をとって、「タンザニア」としたのだ。

「タンガニーカ共和国」と「ザンジバル人民共和国」は、それぞれ異なる地域であり、別の歴史を有している。「タンガニーカ」は大陸の部分であり、19世紀にはドイツの植民地になっていた。第1次世界大戦にドイツが敗北してのちは、イギリスの委任統治となる。

第2次世界大戦を経て、タンガニーカでは「タンガニーカ＝アフリカ人民族同盟」が中心となって、独立の機運が盛り上がる。タンガニーカは1960年代に独立、「タンガニーカ共和国」となっていた。

一方、ザンジバル人民共和国は、タンガニーカの沖合にあり、ザンジバル諸島を中心とした島嶼《とうしょ》国家であった。ザンジバルは、古来、アラブ人の影響が強く、17世紀末以降、アラビア半島のオマーンの勢力圏にはいる。オマーンはいまはアラビア半島の東端にある小国だが、当時は東アフリカ沿岸にも勢力圏をもつ海洋帝国を形成していた。ザンジバルは、アラブ商人らによって東アフリカ最大の奴隷市場にもなっていた。

1856年、ザンジバルはオマーン海洋帝国とは分離する。ザンジバルはアラブ系のブーサイード家のスルタンを王とする「ザンジバル・スルタン王国」となるが、独立は長くつづかなかった。

19世紀後半、アフリカが植民地化されていく時代、ザンジバルはドイツとイギリスに分割されたのち、イギリスの保護領となる。第2次世界大戦を経た1963年、ブーサイード家のスルタンを王とする「ザンジバル王国」として独立する。

だが、翌1964年、革命が勃発、「ザンジバル人民共和国」が成立する。革命の原因は、長年のアラブ系のスルタンの支配、アラブ人への反発であり、ザンジバルではアラブ

ザンジバル人民共和国とタンガニーカ共和国の特徴

	ザンジバル人民共和国	タンガニーカ共和国
場所	ザンジバル諸島を中心とした島嶼国家	大陸部分
統治国	17世紀末以降、オマーンの勢力圏に入る	19世紀にはドイツ。第1次世界大戦以後はイギリス
独立までの経緯	1856年、ザンジバル・スルタン王国となる。19世紀後半、ドイツとイギリスに分割されたのちイギリスの保護領。1963年、ザンジバル王国として独立。1964年、革命でザンジバル人民共和国となる	1960年代、タンガニーカ共和国となる

人が虐殺され、追放された。

同1964年、タンガニーカ共和国とザンジバル人民共和国は合併、「タンガニーカ・ザンジバル連合共和国」となる。さらに国名をすぐに改め、いまの「タンザニア連合共和国」となっている。

両国を結びつけたのは、アフリカ式社会主義の理想である。タンガニーカ共和国もザンジバル人民共和国も、社会主義国だったのだ。ただ、現在、タンザニアは複数政党制へと移行している。

カタンガ国、南カサイ鉱山国

資源争奪戦のコンゴ動乱で消えた国、生まれた国

アフリカ大陸のほぼ中央に位置する「コンゴ民主共和国」は、「アフリカの心臓」とも呼ばれる。アフリカの近代史はじつにややこしいのだが、コンゴ民主共和国はその典型で、混沌のアフリカを象徴するかのようだ。

まずややしこいのは、西には「コンゴ共和国」があることだ。コンゴ民主共和国の首都キンシャサとコンゴ共和国の首都ブラザビルは、コンゴ川（ザイール川）を

挟み、対岸同士である。

けれども、コンゴ民主共和国とコンゴ共和国の近代の成り立ちはまったく異なる。コンゴ共和国はフランスの植民地を経て、独立した国であり、原油の輸出に依存している。

一方、コンゴ民主共和国は、ベルギーの支配を経て独立した国であり、後述するように、一時「ザイール」を国名としていた。ダイヤモンド、コバルト、銅などを産出するアフリカ屈指の鉱物資源国でもあるが、その鉱物資源ゆえに分離独立騒動をはじめ、さまざまな歴史を経てきた。

コンゴ民主共和国の地にかつてあったのは、「コンゴ王国」である。コンゴ族による黒人王国であり、14世紀から19世紀にかけて存在した。

19世紀後半、コンゴの支配にかかったのは、ベルギーである。ベルギーのレオポルド2世は、この地に「コンゴ自由国」という私有地を創設したのだ。

レオポルド2世による「コンゴ自由国」支配はあまりに強欲、かつ暴力的であった。その強欲、残忍さに、それまで世界各地の植民地で非道をなしてきた西洋諸国も呆《あき》れ、非難しはじめる。そこで、1908年から、ベルギー政府に統治が移管されている。

1960年、この地は「コンゴ共和国」の名で独立する。けれども、すぐに待っていたのが、分離独立の戦争であった。同年、カタンガ地域が「カタンガ国」として独立に向かい、つづいて南カサイが「南カサイ鉱山国」としてカタンガ国と同様の完全な自治を求めた。

いずれも、資源の独占を求めての独立である。カタンガはもっとも豊かな地帯であり、コンゴ共和国の経済の6割を占める。南カサイも鉱物資源に恵まれていた。カタンガ独立の影で動いていたのは、かつての宗主国ベルギーだ。カタンガ、南カサイの独立をゆるせば、コンゴ共和国は最初から貧乏国になってしまう。結局、独立騒動は内戦となった。これが「コンゴ動乱」だ。

コンゴ動乱は1965年までつづき、20万名が死亡する悲劇となった。コンゴ共和国の初代首相ルムンバは、モブツのクーデターによって失脚、処刑されている。コンゴ動乱は、国連の軍事介入もあって、ようやく終息する。「カタンガ国」も「南カサイ鉱山国」も消滅してしまったが、その後もコンゴは混乱を経験し、新たな国名「ザイール」時代を迎える。

ザイール

「キンシャサの奇跡」の地として語られるコンゴ民主共和国の旧国名

先のコンゴ動乱は1965年に終息するが、コンゴでは同年、モブツによる2度目のクーデターを体験する。モブツはすでに初代首相ルムンバをクーデターによって打ち倒していたが、またもクーデターを実行し、独裁者となったのだ。

モブツがコンゴで打ち出したのは、民族主義的な政策である。その一環として行なったのが、地名の変更だ。1966年、首都「レオポルドヴィル」を「キンシャサ」に、1971年には国名の「コンゴ」を「ザイール」へと変更している。国名の変更は、「コンゴ川」から「ザイール川」への改名を受けてのものだ。

消された首都名「レオポルドヴィル」は、フランス語であり、かつてコンゴを私有地としていたベルギー国王レオポルド2世にちなむ。レオポルド2世時代はコンゴの暗黒時代である。暗黒の過去を振り払うために、「レオポルドヴィル」の名を排して、「キンシャサ」としたのだ。かつてこの地に「キンシャサ」という名の村落があり、その名を新たに首都名としたのだ。

「ザイール」の名は、コンゴを流れる大河コンゴ川の別名である。モブツは「コンゴ」という名も歴史の汚点と考え、「ザイール」としたようだ。

ただ、モブツの独裁政権は、1997年に破綻《はたん》する。モブツは政権を棄て、亡命、「ザイール」はいまの名「コンゴ民主共和国」となる。「ザイール川」も「コンゴ川」と呼ばれるようになった。「ザイール川」は、「コンゴ川」のポルトガル語の名である。

こうして「コンゴ」が復活し「ザイール」は消えていったのだが、「キンシャサ」の名はいまも残っている。コンゴの住人も、暗黒のレオポルド2世時代の名「レオポルドヴィル」へと回帰したくなかったのだろう。

「キンシャサ」の名が世界に広く知られ、「ザイール」の名もいまなお記憶に残るのは、かつてここでボクシングの世紀の対決があったからだ。1974年、キンシャサでは無敵王者といわれたジョージ・フォアマンに、7年のブランクを経て復帰したモハメド・アリが挑戦。下馬評《げばひょう》を覆《くつがえ》し、アリが老練《ろうれん》なファイトでフォアマンを沈める。この対決は「キンシャサの奇跡」といわれ、いまなお語り継がれる。当時はザイール時代であったから、「キンシャサの奇跡」を語るとき、ザイールの名も登場しつづけるのだ。

トランスヴァール共和国、オラニエ自由国
イギリスの強欲な戦争によって消されたブール人の国々

現在の南アフリカには、19世紀には独立した国々があった。「ナタール共和国」「トランスヴァール共和国」「オラニエ（オレンジ）自由国」であり、すべて1902年には消滅させられている。

「ナタール共和国」「トランスヴァール共和国」「オラニエ自由国」を建国したのは、すべてブール（ブーア、ボーア）人たちである。ブール人たちは、オランダからアフリカの南部に入植《にゅうしょく》した者たちの子孫になる。

17世紀半ば、オランダ東インド会社は南アフリカにケープ植民地を築き、ここにオランダ人たちが移住してきていた。だが、ナポレオン戦争下の18世紀末、イギリスがこの地を占領してしまう。以後、イギリスのケープ植民地となり、イギリス人が入植をはじめた。圧迫された先住のブール人たちは、1830年代に北方に移動し、新たな国々を建国していったのだ。

まずは1839年に、ブール人たちは現地のズールー族と戦い、「ナタール共和国」を建国する。ただ、ナタール共和国は国家として体制が整わないまま、イギリスに攻撃され、1843年には消滅している。

ナタール共和国滅亡ののち、ナタール共和国から逃げ出したブール人たちは、1852年、ヴァール川を越えて、「トランスヴァール共和国」を建設する。「トランスヴァール」とは、ヴァール川の向こう側という意味だ。

また、別のブール人の一派はオラニエ（オレンジ）川を越えたところに、「オラニエ自由国」を樹立した。「オラニエ」という呼称は、オランダ王家であるナッサウ＝オラニエ家に由来する。

こののち、トランスヴァール共和国、オラニエ自由国はおよそ十数年の安泰《あんたい》を得るが、平和な時代はつづかなかった。1860年代にオラニエ自由国でダイヤモンド鉱が発見され、つづいて1880年代にトランスヴァール共和国で金鉱が発見されたからだ。

当時のイギリスは、恐ろしいほどに強欲である。ただでさえ、ブール人の国を接収したいと思っているところに、オラニエ自由国でダイヤモンド、トランスヴァール共和国で金鉱である。イギリスはダイヤモンド、金を欲して、戦争を開始した。これが2次にわたるブール戦争となる。

ブール戦争は大激戦となり、当時、世界帝国を誇ったイギリスの威信をぐらつかせるほど、イギリス軍は苦戦した。それでも最後にはイギリス軍がブール人を打ち破り、「オラニエ自由国」「トランスヴァール共和国」を消滅させ、イギリス植民地の一部としている。「トランスヴァール」と「ナタール」の名は、いまの南アフリカの州名に残っているが、「オレンジ」の名は州名からは消えている。

ズールー王国
南アフリカで台頭したがゆえにイギリスに排除された黒人王国

イギリスが南アフリカで「オラニエ自由国」「トランスヴァール共和国」を消滅させるまえ、同じく南アフリカで消滅させたのが「ズールー王国」だ。ズールー王国とは、ズールー族の指導者シャカが1820年ごろに樹立した強力な中央集権国家である。

すでに述べたように、19世紀前半、オランダ系のブール人たちはイギリスに追い立てられ、南アフリカを北上していた。これに対抗するように黒人部族にも求心力が生まれ、ズールー王国が生まれたのだ。

南アフリカに植民地を広げたいイギリスにとって、ズールー王国は排除しなければならない勢力に映った。そこには人種差別的な思考もあり、白人のオラニエ自由国やトランスヴァール共和国を滅ぼすまえに、ズールー王国の壊滅にとりかかったのだ。

これにより、1878年からズールー戦争がはじまる。ズールー戦争もまたブール戦争のように激戦となったが、イギリスが勝利、ズールー王国を消滅させている。

ローデシア　アパルトヘイト政策により悪名高いイギリスの植民地だったジンバブエ

19世紀後半から20世紀初頭にかけて、イギリスは、南アフリカを植民地化した挙げ句、同地でやりたい放題であった。そこから悪名高い「ローデシア」が生まれている。

ローデシアのもととなったのは、19世紀後半のイギリス南アフリカ会社である。

イギリス南アフリカ会社を設立したのは、イギリスのケープ植民地首相も務めたセシル・ローズである。イギリス南アフリカ会社には鉱山開発権が与えられ、「マショナランド（ショナ人の土地）」と「マタベレランド（ンデベレ人の土地）」を獲得する。

1895年、マショナランドとマタベレランドはまとめて、「ローデシア」と呼ばれるようになった。それはイギリス南アフリカ会社の持ち主セシル＝ローズであり、「ローズの家」という意味だ。この地では、ローズの指導のもと、アパルトヘイト政策（人権隔離差別政策）が行なわれるようになる。

20世紀になると、イギリス南アフリカ会社はローデシアの統治を放棄《ほうき》し、ローデシアは二つに分割される。「自治植民地南ローデシア」「直轄植民地北ローデシア」である。南ローデシアでも北ローデシアでも、白人が圧倒的に強く、黒人は徹底的に差別されてきた。

こののち第2次世界大戦を経た1953年、南ローデシアと北ローデシアは合併、付近のニヤサランド（現在のマラウイ）を含めて一体化する。これが、「ローデシア・ニヤサランド連邦（中央アフリカ連邦）」である。

ローデシア・ニヤサランド連邦は、ニヤサランドの労働力をタダ同然で求めるところに発していた。その点で、すでに植民地思想を完全に引き継いでいた。しかも、アパルトヘイト政策をあいかわらず平然と実施していた。ゆえに、黒人側の不満は蓄積《ちくせき》していく。

すでに第2次世界大戦を経て、世界では植民地は否定されていった時代である。結局、ローデシア・ニヤサランド連邦は空中分解し、1964年、ニサヤランドは「マラウイ」として独立、北ローデシアは「ザンビア」として独立を果たした。

残された南ローデシアの白人政権はといえば、1965年に「ローデシア共和国」の独立を宣言する。首相となったスミスは、極端な人種差別主義者だったから、世界から非難を浴びた。すでに黒人たちが自分たちの土地で独立を勝ち取る時代にあって、あいかわらず白人支配の植民地的な発想で国家を運営しようとしていたのだ。

宗主国であったイギリスでさえも、黒人の人権が保障されないかぎり、独立を承認できないとしている。これ以後、「ローデシア」は差別の国としてその悪名が世界に広まった。

ローデシアでつづいて起こったのは、「ローデシア紛争」と呼ばれる内戦である。黒人たちは黒人主導の国家を求めゲリラ戦を展開するようになり、その戦いは近隣諸国までも巻き込んだ。

紛争では、ついに白人政権側の譲歩《じょうほ》となる。1979年、「ジンバブエ・ローデシア」と国名を変え、黒人の首相を誕生させた。翌1980年、「ジンバブエ共和国」に改称、黒人国家となり、ようやく悪名高い「ローデシア」を封印した。

ジンバブエの名は、この国にある「ジンバブエ遺跡」に由来する。先住のショナ人が築いた巨石遺跡群であり、ショナ語で「石の家」を意味する。ショナ人は「ムニュムタパ王国」を形成していたが、やがてンデベレ人の王国に取って代わられる。その後、イギリス支配がはじまったが、先住のショナ人の業績を讃える意味で「ジンバブエ」という国名を採用したのだ。

ニヤサランド

独立の証しとしてマラウイが棄て去ったイギリス時代の地名

ローデシアの成立と瓦解に至るまで、多くの国名が生まれ、消えていった。先述した「ニヤサランド」もそうである。

「ニヤサランド」は、いまの「マラウイ共和国」である。マラウイは、イギリス領ローデシア・ニヤサランド連邦を形成していたが、1964年に独立を達成し、「ニヤサランド」の名は消えていった。

15世紀から17世紀にかけて、マラウイにあったのは「マラヴィ（マラビ）王国」である。

マラヴィ王国は交易で栄えていたが、19世紀末にイギリスに征服され、「イギリス中央アフリカ保護領」とされた。これが「ニヤサランド」と改名されてのち、ローデシア・ニヤサランド連邦に吸収されることになった。

ここまでの経緯はイギリスの身勝手であり、現地の人の意志を無視したものであったが、ついには独立を遂《と》げる。このとき、かつての「マラヴィ王国」の名から、国名を「マラウイ」としたのだ。

さいごに

世界史では、地名が現れては、消えていく。それは、これからも変わらないだろう。現在、繁栄《はんえい》を誇っている国や都市の名だって、近未来に改名によって消滅してしまう可能性はゼロではない。

たとえば、台湾の都「台北《タイペイ》」だ。「台北」は台湾の北にあるから、その名がついていた。だが、「台北」と呼ばれる以前、かつては「大加蚋（トゥアカーラ）」、あるいは「凱達格蘭（ケタガラン）」と呼ばれていたことが、近年、わかってきた。台湾では「正名運動《せいめいうんどう》」といって、地名をかつてのもとの地名に戻す動きがある。正名運動では台北も対象になっていて、「台北」を「大加蚋」、あるいは「凱達格蘭」に戻そうという声があるのだ。

あるいは、「ニュージーランド」だ。ニュージーランドの国名は、白人入植者たちが付けた呼称である。だが、ニュージーランドには白人が到来する以前に、先住のマオリ族がいた。そのマオリ族は、この地をマオリ語で「長い雲」を意味する「アオテアロア」と呼んできた。ニュージーランドでは、マオリ族に敬意を表して、「アオテアロア」に国名を変えようという動きがある。そこには、マオリ族を迫害した反省の意味もある。

もちろん、台北、ニュージーランドの改名が、すぐになされるとはいわないし、半永久的にその名が残ることだってあろう。けれども、どんなに栄えた地名であっても、あるとき消え去ることがあるのだ。

地名には、栄枯盛衰の史実が凝縮されているのである。

◉左記の文献等を参考にさせていただきました——

「世界地名情報事典」辻原康夫編著（東京書籍）／「世界から消えた50の国」ビョルン・ベルゲ（原書房）／「世界地名の旅」蟻川昭男（大月書店）／「三訂版　世界地名語源辞典」蟻川昭男（古今書院）／「世界滅亡国家史」ギデオン・デフォー（サンマーク出版）／「旧ドイツ領全史」衣笠太郎（パブリブ）／「極東共和国の夢」堀江則雄（未来社）／「20世紀の戦争」三野正洋・田岡俊次・深川孝行（朝日ソノラマ）／「世界の歴史29　冷戦と経済繁栄」猪木武徳・高橋進、「物語ウクライナの歴史」黒川祐次、「物語ビルマの歴史」根本敬、「トルコ近代史」今井宏平（以上、中央公論新社）／「台湾物語」新井一二三、「消えた地図　追われた人々」池内紀（以上、筑摩書房）／「カラー新版　地名の世界地図」21世紀研究会編（文藝春秋）／「世界各国史15　イタリア史」北原敦編、「世界各国史18　バルカン史」柴宜弘編（以上、山川出版社）／「ヨーロッパ各国・国名の起源」飯島英一（創造社）

KAWADE
夢文庫

消えた地名から読む世界史

二〇二三年一月三〇日　初版発行

著　者……………内藤博文
企画・編集………夢の設計社
東京都新宿区山吹町二六一〒162-0801
☎〇三―三二六七―七八五一（編集）
発行者……………小野寺優
発行所……………河出書房新社
東京都渋谷区千駄ヶ谷二―三二―二〒151-0051
☎〇三―三四〇四―一二〇一（営業）
https://www.kawade.co.jp/
装　幀……………こやまたかこ
印刷・製本………中央精版印刷株式会社
DTP……………株式会社翔美アート
Printed in Japan ISBN978-4-309-48597-3

………あなただけの"夢の時間"を創りだす………

KAWADE 夢文庫シリーズ

暮らしのSDGs術
地球を救う実践版

ライフ・エキスパート［編］

ゴミの削減方法、資源の有効な使い方、家電品の節電術…SDGs達成に貢献できる生活ハウツーが満載!!

［K1181］

戦国武将の現場感覚

西股総生

その時、武将は何を思い、どう判断したのか？　戦国時代のリアルを知れば、歴史の見方がガラリと変わる！

［K1182］

語源の謎
なぜ、この漢字が使われる？

日本語倶楽部［編］

流石、湯舟、毛嫌い、外遊、眉唾…身近な言葉には驚きの由来があった！奥深き日本語の世界を楽しめる本!!

［K1183］

9割の人が信じ込んでいる 覚え違い大全

博学こだわり倶楽部［編］

じつは「ヘリ・コプター」ではなく「ヘリコ・プター」が正しかった…長年信じてきた常識がひっくり返る！

［K1184］

語源501
意外すぎる由来の日本語

日本語倶楽部［編］

【くだを巻く】の「くだ」とは？【しんどい】【ぐれる】のルーツは？日常で使う言葉の誕生秘話がぎっしり！

［K1185］

生ビール30分500円で飲み放題！が儲かるわけ

現代ビジネス研究班［編］

激安、デカ盛り、食べ放題、無人店…繁盛店だけが知っている集客術、ヒット食品のウラ事情を徹底的に解明！

［K1186］